LES FRACTURES
DU CALCANÉUM

78.00

CHEZ LE MÊME ÉDITEUR

PUBLICATIONS DE L'ASSOCIATION FRANÇAISE DE CHIRURGIE

80ᵉ Congrès français de chirurgie. 1978.

Les tumeurs oddiennes, par G. MARCHAL et J. HUREAU. 1978, 188 p.
Les fractures du calcanéum, par I. KEMPF et R. C. TOUZARD. 1978, 168 p.

79ᵉ Congrès français de chirurgie. 1977.

Polyposes intestinales, par J. LOYGUE, M. ADLOFF et P. BLOCH. 1977, 164 pages.
Les artériopathies au stade de claudication intermittente, par J.-B. LÉVY et A. GÉDÉON. 1977, 176 pages, 26 figures.

78ᵉ Congrès français de chirurgie. 1976.

La maladie de Crohn recto-colique, par M. JULIEN et J. VIGNAL. 1976, 152 pages, 30 figures, 61 tableaux.
Le traitement des métastases osseuses, par J. DUPARC et J. DECOULX. 1976, 288 pages, 92 figures.
Chirurgie 76. Résumés de la Conférence, des Tables rondes, des Forums et Communications. 1976 (épuisé).
Actualités chirurgicales. Textes publiés sous la direction de J.-Cl. PATEL :
    I. Chirurgie abdominale et digestive (première partie). 1977, 192 pages, 13 figures.
    II. Chirurgie abdominale et digestive (deuxième partie). Chirurgie urologique et gynécologique. 1977, 188 pages.
    III. Chirurgie vasculaire et thoracique. Microchirurgie. Communications diverses. 1977, 176 pages, 16 figures.
    IV. Chirurgie orthopédique et traumatologique. 1977, 172 pages.

77ᵉ Congrès français de chirurgie. 1975.

Les fistules externes de l'intestin grêle, par P. MAILLET, G. EDELMANN et J. TRÉMOLIÈRES. 1975, 145 pages, 40 tableaux.
Les hématomes rétropéritonéaux, par Ch. CHATELAIN et Cl. MASSÉ. 1975, 160 pages, 5 figures, 6 tableaux.
Chirurgie 75. Communications, Tables rondes. 1975, 132 pages, 1 figure.

76ᵉ Congrès français de chirurgie. 1974.

Embolies pulmonaires, par P. MARION et J.-P. BINET. 1974, 160 pages, 16 figures.
Les complications digestives du stress, par A. SIBILLY et Ph. BOUTELIER. 1974, 158 pages, 13 figures, 14 tableaux, 4 planches hors texte en couleurs.
Actualités chirurgicales. 1975, 992 pages, 92 figures, nombreux tableaux.

75ᵉ Congrès français de chirurgie. 1973.

Traumatismes fermés du duodénum et du pancréas, lésions opératoires exceptées, par L.-P. DOUTRE et J.-Cl. PATEL. 1973, 208 pages, 15 figures, 2 tableaux.
Chirurgie des artères, carotides et vertébrales dans leur segment extra-crânien, par J. NATALI, A. THÉVENET et collaborateurs. 1973, 216 pages, 89 figures.
Actualités chirurgicales. 1974, 1192 pages, 92 figures, 103 tableaux.

LES FRACTURES DU CALCANÉUM

par

I. KEMPF

Professeur de Chirurgie
Orthopédique et Traumatologique
C.H.U. de Strasbourg

R. C. TOUZARD

Professeur Agrégé
Chirurgien des Hôpitaux
C.H.U. Pitié-Salpêtrière, Paris

avec la collaboration de

J.-L. RUELLE

Chirurgien Orthopédiste
La Louvière (Belgique)

RAPPORT PRÉSENTÉ AU
80ᵉ CONGRÈS FRANÇAIS DE CHIRURGIE
PARIS, 18 au 21 SEPTEMBRE 1978

MASSON
Paris   New York   Barcelone   Milan
1978

Les rapports présentés au Congrès Français de Chirurgie sont imprimés sous forme de monographies de 150 pages.

Les membres de l'Association Française de Chirurgie reçoivent également, avant le Congrès, un volume dans lequel sont réunis les résumés analytiques établis par les différents responsables de toutes les manifestations du Congrès (conférences, tables rondes, forum, face à face technique, communications, etc.).

Ce volume, dénommé « *Chirurgie 77* », « *Chirurgie 78* », etc., est par ailleurs en vente en librairie avant la date du Congrès Français de Chirurgie.

Les comptes rendus du Congrès sont publiés, après celui-ci, sous forme de 4 volumes séparés dénommés « *Actualités Chirurgicales* ». Leur parution est prévue au printemps de l'année qui suit le Congrès. Ces volumes sont également en vente en librairie dès leur parution.

Le Secrétaire général,
J.-Cl. Patel.

Masson S.A.   120, bd Saint-Germain, 75280 Paris Cedex 06
Masson Publishing USA Inc. 14 East 60th Street, New York, N.Y. 10022
Toray-Masson S.A.   Balmes 151, Barcelona 8
Masson Italia Editori S.p.A. Via Giovanni Pascoli 55, 20133 Milano

© *Association française de Chirurgie* et *Masson, Paris, 1978.*
ISBN : 2-225-70477-5.

Imprimé en France.

TABLE DES MATIÈRES

INTRODUCTION 1

PREMIÈRE PARTIE. — *Généralités* 3

Historique (3); Anatomie chirurgicale et architecture du calcanéum (6);
Vascularisation du calcanéum (14); Plante du pied (14); Physiologie
biomécanique de la sous-astragalienne (15); Etude radiographique
normale (17).

DEUXIÈME PARTIE. — *Etude anatomo-clinique* 25

Anatomie pathologique (25); Classification (54); Mécanisme (56); Etio-
logie (61).

TROISIÈME PARTIE. — *Etude thérapeutique* 73

Les méthodes : principes et techniques 73
Traitement fonctionnel (73); Les méthodes orthopédiques (74); Réduction
enclouage à foyer fermé (79); Traitement chirurgical (81).

Cas particuliers 103

Résultats et indications 109
Analyse des résultats (109); Critique des différentes méthodes (128); Indications générales (130).

QUATRIÈME PARTIE. — *Conclusions* 135

DOCUMENT ANNEXE N° 1 137

Classification de L. Boehler (137); Classification de Boppe et Paitre (137);
Classification de R. Watson-Jones (138); Classification de P. Essex
Lopresti (139); Classification de C. K Warrick et A. E. Bremner (139);
Classification de C. R. Rowes, H. T. Sakellarides, P. A. Freeman et
C. Sorbie (140).

DOCUMENT ANNEXE N° 2 141

BIBLIOGRAPHIE 151

Ce rapport consacré aux fractures du calcanéum est dédié à la mémoire du Docteur Edgar Stulz (1893-1963), Chirurgien Directeur du Centre de Traumatologie de Strasbourg de 1938 à 1939 et de 1945 à 1963.

INTRODUCTION

———

La fracture du calcanéum, en particulier dans ses formes thalamiques, jouit d'une mauvaise réputation en traumatologie osseuse dont elle est un peu l'enfant ingrat et difficile. Nombreuses sont les raisons qui lui valent ce jugement défavorable :

— fracture souvent articulaire sur un os à l'anatomie tourmentée, placé dans un environnement aride et prenant directement appui sur le sol par l'intermédiaire de la peau du talon;
— complexité des traits de fracture avec réelles difficultés de leur analyse radiologique car seule l'incidence de profil n'est pas tronquée;
— évolution longue, traînante, marquée quel que soit le mode de traitement, par l'importance des troubles trophiques : — œdème, cyanose, fibrose, — de l'ostéoporose, de l'arthrose douloureuse sous-astragalienne;
— problèmes thérapeutiques ardus lui conférant une place à part en traumatologie des os. En effet, pour toutes les autres fractures le débat se situe en règle entre les tenants de méthodes de traitement orthopédiques et les partisans de méthodes de traitement chirurgicales. Pour les fractures thalamiques du calcanéum, et pour elles seules, mises à part les fractures du rachis qui posent des problèmes assez similaires, viennent s'ajouter d'une part le traitement exclusivement fonctionnel, d'autre part l'arthrodèse sous-astragalienne primitive ou secondaire.

En d'autres termes, devant la complexité de ces fractures et les aléas des méthodes de traitement conventionnelles, certains baissent les bras et abandonnent les principes fondamentaux de la réduction et de la contention; les autres recourent à une solution extrême en supprimant chirurgicalement une articulation.

A première vue, nous sommes donc forcés d'admettre que le portrait qui nous a été confié est bien celui d'un enfant ingrat et mal aimé. C'est la raison pour laquelle il mérite certainement plus de sympathie que d'autres.

Nous remercions plus particulièrement nos collègues H. Bensahel, M. Chanzy, G. Copin, J. Decoulx, J. Duparc, M. Dupuis, J. H. Jaeger, G. Laurence, J. Mine, L. Mole, E. Montagne et R. Weber pour leur précieuse collaboration ainsi que Mlle A. M. Leibenguth.

Les dessins originaux de ce rapport ont été réalisés par B. Lafleuriel, dessinateur à l'Institut d'Anatomie Normale de la Faculté de Médecine de Strasbourg.

1

GÉNÉRALITÉS

HISTORIQUE

« L'étude des fractures du calcanéum auxquelles les textes anciens font à peine allusion, ne date réellement que du XVIIIe siècle » (**M.** Boppe et F. Paitre, Rapport devant le 44e Congrès Français de Chirurgie) [210].

Ces auteurs auxquels nous faisons de larges emprunts, distinguent trois périodes dans l'histoire de la connaissance de ces fractures.

La première période préradiographique est orientée vers la pathogénie. Le premier ouvrage classique sur les fractures du calcanéum reste celui de J. L. Petit [7] qui fit l'objet d'un Mémoire à l'Académie des Sciences en 1722. En 1731, Boyer exposa nettement la théorie de l'arrachement et soutint que les fractures du calcanéum sont toujours directes et résultent toujours d'une chute sur la pointe des pieds. Cette théorie prévalut jusqu'à Malgaigne [4] qui en 1843 à l'occasion d'autopsies, décrivit soigneusement les lésions, en particulier l'enfoncement du segment thalamique externe encadré par deux traits fracturaires sagittaux et évoqua le mécanisme de l'écrasement. Morestin dans ses communications à la Société Anatomique de Paris en 1894 précisa le siège électif des lésions sur le segment externe de la face articulaire astragalo-calcanéenne postérieure et proposa une action chirurgicale directe.

Après cette étape pathogénique, commença la seconde étape anatomo-clinique grâce à la radiographie.

Destot [3], en 1902, dans la Revue de Chirurgie, classa les fractures du calcanéum en six variétés anatomiques et dans son livre « Traumatismes du cou-de-pied et rayons X », fixa l'individualité anatomo-clinique des fractures de la surface postéro-externe qu'il dénomma thalamus. Le mécanisme de l'enfoncement, la gravité des dislocations des articulations sous-astragaliennes et médiotarsiennes, sont précisés. Sa classification des fractures par enfoncement du 1er, 2e, 3e degré (à tort attribuée à Boehler) est adoptée par tous les auteurs français. L'auteur allemand Baer [1] employa la vue verticale dorso-plantaire et mit en évidence le trait sagittal d'arrière en avant et de dedans en dehors. Les fractures sagittales, décrites par Malgaigne et Morestin [4, 6], reprises par les auteurs allemands Mertens et Voeckler, sont à l'origine de la théorie de l'Abscherung ou cisaillement.

La troisième étape thérapeutique s'étend jusqu'à la date actuelle.

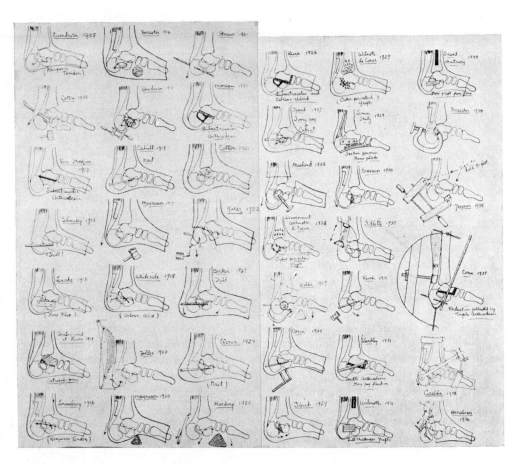

FIG. 1. — *Schémas d'après* GOFF.
Divers procédés de traitement des fractures du calcanéum
(selon BELANGER et VAN DER ELST).

L'amusant répertoire dressé par Goff (fig. 1) emprunté au rapport de Belanger et Van der Elst [27] et qui n'est pas exhaustif, témoigne de l'imagination voire de la fantaisie des chirurgiens dans ce domaine.

Les premières tentatives visaient à obtenir une amélioration des séquelles grâce à des opérations palliatives secondaires : ténotomie d'Achille, ostéotomie calcanéenne de redressement, astragalectomie (!) et surtout l'arthrodèse sous-astragalienne proposée par Van Stockum [8] en 1911, au Congrès Français de Chirurgie, puis par d'autres sous forme de double arthrodèse en bonne position. Cependant dans les fractures récentes du calcanéum, l'objectif idéal est la restauration anatomique, meilleur garant de la restauration fonctionnelle. Leriche dès 1922 et son élève Stulz firent les premières tentatives d'ostéo-synthèses primitives des fractures thalamiques du calcanéum.

E. Stulz [246] de 1925 à 1935 avait déjà opéré 25 blessés par réduction sanglante et ostéosynthèse, ce qui lui permet une confrontation des découvertes opératoires et des documents radiographiques, en particulier il affirme qu'il n'y a pas d'enfoncement thalamique sans fracture sagittale. Opératoirement, il faut d'abord reformer le massif thalamique puis le solidariser en bonne place sous l'astragale par vissage.

En 1928 Wilmoth et Lecœur [10], après relèvement thalamique, comblèrent le vide sous-thalamique par des greffons ostéopériostiques.

Si les auteurs français étaient favorables à l'ostéosynthèse, les auteurs allemands et autrichiens se tournaient vers le traitement orthopédique. L. Boehler [34] à Vienne, qui par ailleurs précisait l'importance de l'enfoncement en introduisant la notion d'angle tubéro-thalamique, proposait de réduire tous les déplacements en combinant la traction, le modelage et l'immobilisation plâtrée. Une importante statistique de 380 fractures traitées selon la méthode de Boehler est rapportée par Jimeno-Vidal. Westhues [266], en 1934, préconisa le relèvement par poinçon introduit d'arrière en avant pour relever le thalamus enfoncé.

Boppe et Paitre [210], en 1935, élaborèrent la synthèse de toutes les connaissances de l'époque sur les fractures du calcanéum. Ce rapport fera date et reste à l'heure actuelle un ouvrage de référence irremplaçable. Sur le plan thérapeutique ces auteurs sont favorables à la méthode orthopédique pour les fractures non articulaires. Ils semblent séduits par la technique de Westhues mais pensent que l'ostéosynthèse donne également d'excellents résultats. Quant aux fractures articulaires avec peau en bon état, ils sont favorables à une méthode mixte orthopédique et chirurgicale, pour relever le thalamus avec ou sans greffe d'étai. La constatation d'une destruction des surfaces articulaires impose l'arthrodèse d'emblée de la sous-astraga-lienne.

Depuis lors les travaux modernes approfondissent nos connaissances sur l'anatomie pathologique, la classification, le mécanisme et le traitement de ces fractures.

De nouvelles classifications à tendance simplificatrice s'ajoutèrent à celles, classiques, de Boehler, Boppe et Paitre, grâce aux travaux d'Essex Lopresti en 1952 [92], Warrick et Bremner en 1953 [263], Jimeno-Vidal [132], Duparc, Glorion et de la Caffinière en 1970 [87] (voir document annexe n° 1).

En 1948, Palmer [211] précise le mécanisme des fractures du calcanéum et leur classification et vulgarise le traitement sanglant des fractures thalamiques par relèvement vissage et greffe qui porte peut-être abusivement son nom car cette méthode avait antérieurement été réalisée par d'autres auteurs tels Leriche, Stulz, Lenormant.

En 1953, J. Gosset [114] modifie la technique du poinçon décrite par Westhues en 1943 en l'introduisant par la face externe de l'os.

Stulz [247] en 1956, préconise la reconstruction arthrodèse primitive des fractures thalamiques du calcanéum, traitement qui sera suivi par l'école strasbourgeoise.

Le traitement dit fonctionnel fait son apparition dès 1947 en Angleterre avec Roberts et Sayle Creer [225]. Il est repris aux Etats-Unis par Barnard [23] en 1955 et en France par Meary, Gosset, Dautry en 1961 [66]. Il renonce à toute réduction, à toute immobilisation, laisse le foyer se consolider tel qu'il est, par simple mise en décharge avec mobilisation précoce des articulations du pied.

Enfin en 1972, R. Judet [241] reprend le problème des ostéotomies dans le traitement des cals vicieux du calcanéum.

ANATOMIE CHIRURGICALE
ET ARCHITECTURE DU CALCANÉUM

« Le calcanéum se présente comme un parallélépipède irrégulier, aplati transversalement dans son segment postérieur, élargi et dénivelé dans son segment antérieur. Vu de profil, par sa face externe, il a grossièrement l'aspect d'un sabot amputé de sa pointe et pourvu d'une talonnette » (Paitre et Boppe).

En arrière il présente une grosse tubérosité renforcée en bas par deux tubercules postéro-interne et postéro-externe. En avant une grande apophyse, entre les deux le corps de l'os supportant la surface articulaire postéro-externe avec l'astragale, le thalamus des chirurgiens, en dedans la petite apophyse ou sustentaculum tali surplombe la gouttière calcanéenne.

La face supérieure du calcanéum (fig. 2, A) présente à décrire d'arrière en avant trois segments :

— *Le dos du calcanéum* est allongé d'arrière en avant, et de bas en haut sur plus du tiers de la longueur de la face supérieure. Il est concave dans le sens longitudinal et convexe dans le sens transversal. Libre de toutes connexions en avant du tendon d'Achille, il peut servir de point d'appui à un crochet de Lambotte en per-opératoire.

— *La surface articulaire postéro-externe* (fig. 2, A, c) occupe toute la largeur du corps; elle s'articule avec la surface correspondante de l'astragale pour former l'articulation sous-astragalienne postérieure. Sa moitié postéro-interne tend vers l'horizontale, sa moitié antéro-externe tend vers la verticale. C'est le thalamus de Destot.

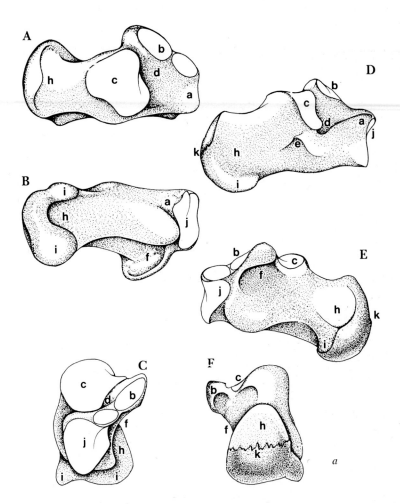

FIG. 2. — *Anatomie normale du calcanéum.*

A. Face supérieure. *B*. Face inférieure. *C*. Face antérieure. *D*. Face externe. *E*. Face interne. *F*. Face postérieure.

a, grande apophyse; *b*, petite apophyse, surface articulaire antéro-interne; *c*, thalamus et surface articulaire postéro-externe; *d*, sinus transverse du tarse; *e*, tubercule des péroniers; *f*, canal calcanéen; *h*, tubérosité postérieure; *i*, tubercules postéro-interne et postéro-externe; *j*, surface articulaire avec le cuboïde; *k*, crête d'insertion du tendon d'Achille.

— *La surface articulaire antéro-interne* (fig. 2, A, b) qui forme avec l'astra-galle l'articulation sous-astragalienne antérieure, repose sur la *petite apophyse ou sustentaculum tali* (fig. 2, A, b) et sur la *grande apophyse* (fig. 2, A, a). Elle est fréquemment rétrécie à sa partie moyenne.

Entre les deux surfaces articulaires : le *sinus du tarse* ouvert en avant et en dehors où s'insère le puissant ligament en haie astragalo-calcanéen et le muscle pédieux.

Sur la face inférieure du calcanéum (fig. 2, B), s'implantent les deux *tuber-cules postéro-interne et postéro-externe* (fig. 2, B, i), l'interne étant plus volu-mineux que l'externe. L'ensemble du massif tubérositaire constitue une calotte qui peut être détachée en bloc par un traumatisme.

Sur la face inférieure s'insère le ligament calcanéo-cuboïdien qui joue un rôle important dans l'architecture de la voûte plantaire.

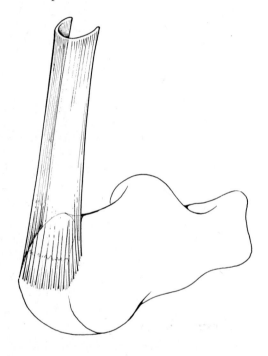

Fig. 3.

Insertion en « hémicornet » du tendon d'Achille (d'après P. Decoulx, A. Soulier et M. Ducloux).

La face externe du calcanéum (fig. 2, B) présente deux tubercules :

— le *tubercule des péroniers* (ou crête péronière) sous le sinus du tarse, repère palpable sous les téguments;

— le tubercule d'insertion du ligament péronéo-calcanéen.

L'os de la face externe est mince et cassant.

Gissane a donné le nom de « *crucial angle* » à l'union du bord externe du thalamus et du plancher du sinus du tarse au niveau de son orifice externe. C'est un point de repère essentiel de la qualité de la réduction d'une fracture thalamique.

La face interne (fig. 2, E) concave dans les deux sens, forme une large gouttière, le *canal calcanéen* (fig. 2, E, f), bordé en haut et en avant par le massif de la petite apophyse ou sustentaculum tali, en bas en arrière par le massif de la tubérosité postéro-interne. La petite apophyse s'implante par un pédicule de 2,5 cm de longueur qui forme une zone très résistante favorable à l'appui d'un vissage thalamique par voie externe.

L'os de la face interne est résistant, plus épais que celui de la face externe.

La face postérieure (fig. 2, F) a un versant supérieur oblique en bas et en arrière dont la moitié antérieure répond à une bourse séreuse et dont la moitié postérieure donne insertion au tendon d'Achille selon une disposition en hémicornet à concavité antérieure (fig. 3).

Quant au versant inférieur, il est oblique en bas et en avant, véritable calotte de renforcement très solide. Ce noyau épiphysaire postérieur ne se soude qu'après quinze ans.

La face antérieure (fig. 2, C) du calcanéum est tout entière articulée avec le cuboïde par une articulation de type emboîtement réciproque, le bord supérieur est en arête vive et forme en dedans un bec qui peut se fracturer.

STRUCTURE

Les points faibles du calcanéum sont expliqués par sa structure (fig. 4). C'est une coque dont la corticale interne est beaucoup plus résistante que la corticale externe. Dans cette coque un système trabéculaire déjà décrit par

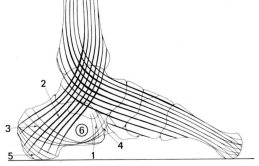

Fig. 4. — *Structure du calcanéum* (d'après Ruig, Viladot, Esca-penter, in Lelièvre).

1, système apophysaire antérieur; *2,* système thalamique; *3,* système plantaire postérieur; *4,* système plantaire antérieur; *5,* système achilléen; *6,* point faible.

Morestin renforce la solidité du calcanéum. Ce système trabéculaire comprend un *système apophysaire antérieur* (fig. 4, 1), un *système thalamique* (fig. 4, 2), irradiant du thalamus vers tout l'arrière de haut en bas, un *système plantaire postérieur* (fig. 4, 3) et un *système plantaire antérieur* (fig. 4, 4), convergeant en un *nœud* compact plantaire, véritable éperon résistant. Enfin, un *système indépendant achilléen* (fig. 4, 5) intra-tubérositaire.

La trabéculation postérieure du tibia traverse l'astragale et se continue vers la partie antérieure du calcanéum dans le système sinusien de la grande apophyse. La trabéculation antérieure du tibia traverse l'astragale en se dirigeant vers la partie postérieure du calcanéum dans le système thalamique. Le système thalamo-sinusien disperse la pression verticale sur toute la longueur de l'os et travaille en compression. Quant au système plantaire de coaptation, il travaille en élongation. Le *point faible* (fig. 4, 6) est entre le système thalamo-sinusien et le système plantaire à l'aplomb de l'orifice externe du sinus du tarse.

PLACE ET ROLE DU CALCANÉUM
DANS L'ENSEMBLE DU PIED

Le calcanéum est surmonté de l'astragale. L'articulation sous-astragalienne postérieure est la zone d'appui principale entre le thalamus et la surface correspondante de l'astragale. La sous-astragalienne antérieure est la zone d'appui entre la surface articulaire antéro-interne du calcanéum et la tête astragalienne. Ces deux articulations sont distinctes avec une capsule et une synoviale propre, elles sont séparées par le puissant ligament en haie du sinus du tarse unissant astragale et calcanéum avec ses deux faisceaux interne oblique en haut, en avant et en dehors, postérieur oblique en haut arrière et en dehors. Il faut souligner l'inclinaison nécessaire du calcanéum, véritable culée de pont de 20 à 30° sur l'horizontale sous l'effet du ligament calcanéo-cuboïdien inférieur qui solidarise la colonne externe du pied. En raison de l'inclinaison du calcanéum le thalamus est lui-même incliné à 30° en moyenne. Par ailleurs, le col de l'astragale fait un angle de 15° ouvert en bas.

En avant, le calcanéum répond au cuboïde; cet interligne articulaire constitue la partie inféro-externe de l'interligne médio-tarsien de Chopart.

La voûte plantaire est un ensemble architectural qui permet au pied de s'adapter aux inégalités de terrain. Par ailleurs, elle joue un rôle d'amortisseur

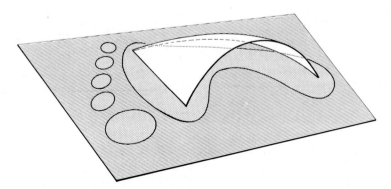

FIG. 5. — *Voûte et empreinte plantaire.*

indispensable à la souplesse de la démarche. La voûte est soutenue par deux arches et repose par deux piliers : le talon postérieur et la région méta-tarsienne, véritable talon antérieur, directement au contact du sol en déter-minant l'empreinte plantaire (fig. 5). Le schéma classique de la répartition des appuis entre talon postérieur et avant-pied admet une répartition égale entre ces deux piliers de la voûte plantaire en station debout avec une talonnette de 2 cm (fig. 8).

L'arche interne (fig. 6, A), part des deux tubercules postérieurs du calcanéum et se termine au niveau de la tête du premier métatarsien. C'est la demi-assiette creuse de Destot composée par l'astragale, le calcanéum, le scaphoïde, le premier cunéiforme et le premier métatarsien. Du fait de sa souplesse, elle a été appelée par Charpy arche de mouvement. L'astragale est placé en super-

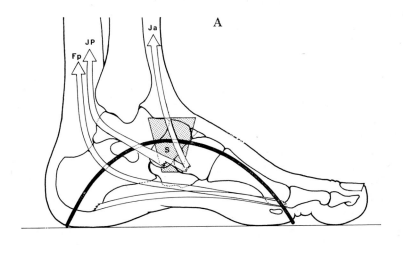

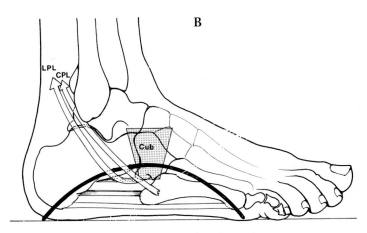

FIG. 6. — *Les arches du pied.*
A. Arche interne. *B.* Arche externe.

structure sur l'arche interne, la clé de voûte étant constituée par le scaphoïde et le puissant ligament calcanéo-scaphoïdien inférieur. Certains muscles sont des tendeurs de l'arche interne; le jambier postérieur ramène le scaphoïde en bas et en arrière sous la tête de l'astragale. Le long péronier latéral augmente la concavité de l'arche interne et fléchit le premier métatarsien sur le premier cunéiforme et celui-ci sur le scaphoïde. Le fléchisseur du gros orteil stabilise l'astragale sur le calcanéum, le fléchisseur commun des orteils a un rôle moindre. Quant à l'adducteur du gros orteil, il a un rôle de tendeur pour rapprocher les deux extrémités.

L'arche externe (fig. 6, B), plus rigide et ne comportant que trois os, calcanéum, cuboïde et 5e métatarsien, s'étend des deux tubercules postérieurs du calcanéum jusqu'à la tête du 5e métatarsien. C'est l'arche d'appui de Charpy. La rigidité de l'arche externe est renforcée par le ligament calcanéo-cuboïdien plantaire; sa clé de voûte est le cuboïde. L'arche externe permet de transmettre l'impulsion motrice du triceps. Certains muscles sont des tendeurs actifs; le court péronier latéral fait une corde partielle; le long péronier latéral se courbe sur le cuboïde et le maintient, l'abducteur du 5e orteil réalise une corde totale.

L'appui antérieur transversal est constitué par les têtes métatarsiennes : la tête du premier métatarsien repose sur les deux sésamoïdes à 6 mm du sol, de même que la tête du 5e métatarsien alors que la tête du 2e métatarsien, clé de voûte, est à 9 mm du sol. Ce talon antérieur du pied est maintenu par le faisceau tranverse de l'abducteur du gros orteil et le ligament intermétatarsien. Dans l'appui au sol chacune des têtes métatarsiennes est impliquée selon un rapport de charge de 2/1 pour la première tête et les quatre dernières. Ce fait doit être souligné car la description classique d'une « voûte » transversale a abusivement fait croire à un appui sélectif sur les première et cinquième têtes métatarsiennes. Trois muscles ont une action : l'abducteur du gros orteil a une action transversale, le long péronier latéral agit sur les trois arches, quant au jambier postérieur, ses expansions multiples solidarisent l'ensemble. L'adducteur du gros orteil et l'abducteur du 5e orteil ont une action dans le sens longitudinal.

Deux rapports sont importants : en dedans le canal calcanéen (fig. 2, E, f), livre passage aux fléchisseurs des orteils, fléchisseur propre et fléchisseur commun et aux éléments vasculo-nerveux, artère tibiale postérieure et nerf tibial postérieur qui se divisent dans ce canal en deux paquets : plantaire interne et plantaire externe. Cet ensemble vasculo-nerveux barre complètement la voie d'abord interne du calcanéum et rend dangereuse une voie d'abord chirurgicale interne.

En dehors le ligament annulaire externe du cou-de-pied (fig. 7, a et b) maintient contre le plan ostéo-articulaire externe les deux tendons des muscles court péronier latéral et long péronier latéral.

Ce ligament forme une gaine unique (fig. 7, a, 2) en haut pour les tendons péroniers latéraux qui dans ce canal ostéo-fibreux commun (fig. 7, b, 3) croiseront obliquement l'interligne articulaire sousastragalien postérieur. A ce niveau, la capsule est renforcée par le ligament péronéo-calcanéen. Plus bas, au contact direct du tubercule des péroniers, il contribue avec les deux gouttières osseuses à la formation de deux coulisses ostéo-fibreuses propres à chaque tendon (fig. 7, a, 5 et 7, b, 11).

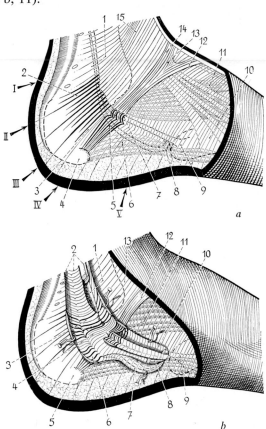

FIG. 7.

Parois superficielle (a) *et profonde* (b), *de la gaine des péroniers* (d'après KEMPF, thèse Strasbourg, 1957).

a) 2, ligament annulaire externe : portion commune rétro-malléolaire ; *5, fronde inférieure* : pour le tendon long péronier latéral; *7, fronde supérieure* pour le tendon court péronier latéral.

b) 3, paroi profonde du canal ostéofibreux commun rétro-malléolaire ; *11,* paroi profonde du canal ostéofibreux dédoublé pour le tendon péronier latéral.

Il est de ce fait inexact de dire que l'abord externe du calcanéum peut se faire en réclinant en bloc la gaine des péroniers sans l'ouvrir. En réalité, du fait de sa configuration ostéo-fibreuse, elle est toujours ouverte qu'elle soit franchement incisée par sa face externe ou réclinée par sa face profonde.

Deux éléments sont toujours à respecter dans une voie d'abord externe : le nerf saphène externe oblique en bas et en avant qui croise la face externe de l'os dans la région opératoire et la veine saphène externe (fig. 63, B, C).

Seul le puissant tendon d'Achille se termine sur la grosse tubérosité du calcanéum; il réalise un système antagoniste avec le court fléchisseur plantaire et la chair carré de Sylvius dont l'origine est calcanéenne. Le tendon d'Achille élève la grosse tubérosité, les deux autres muscles tirent en bas et en avant. Leur action varisante joue un grand rôle dans les déplacements de la grosse tubérosité donc du fragment postéro-externe dans les fractures thalamiques.

VASCULARISATION DU CALCANÉUM

Elle a fait l'objet de travaux récents de Chanzy [56]. Sur le plan artériel ces travaux ont confirmé la richesse vasculaire du calcanéum qui est irrigué par trois contingents :
— interne par l'artère tibiale postérieure et ses branches terminales;
— externe par les artères péronières et malléolaires externes;
— antérieur par l'artère dorsale du tarse.

Ces trois contingents vascularisent des territoires osseux définis et sont en règle générale largement anastomotiques. Ces constatations expliquent la rareté des phénomènes de nécrose osseuse au niveau du calcanéum. Chanzy signale toutefois un cas de nécrose de tout le corps de l'os ainsi que de la face interne de la coque talonnière après fracture ouverte avec lésion du pédicule tibial postérieur. Le drainage veineux est assuré par un abondant réseau veineux largement anastomosé, particularité expliquant la possibilité de réalisation des phlébographies par injection intraosseuse.

PLANTE DU PIED

C'est le pourtour de la face inférieure du pied qui s'élargit d'arrière en avant et représente une voûte qui surélève le côté interne de la région et qui repose sur le sol, en arrière sur le talon, en dehors sur le bord externe, en avant sous les têtes des métatarsiens.

La peau est très adhérente aux plans profonds. Elle est fine, très sensible sur la voûte plantaire mais épaisse et dure au niveau des régions qui supportent les pressions, en particulier au niveau du talon où elle forme la « coque talonnière ».

A ce niveau la peau est doublée d'un tissu fibro-adipeux particulier : tissu fibro-élastique d'une épaisseur d'un centimètre formant des travées transversales en U ouvert vers le haut d'un bord à l'autre du calcanéum. Dans ces mailles se trouvent des paquets adipeux qui supportent des pressions prolongées ou des chocs soudains. Grâce à ce tissu fibro-élastique les paquets adipeux s'aplatissent sous la pression puis reprennent leur forme normale quand cède la compression. Cette configuration n'est trouvée qu'au talon, aux éminences thénar et hypothénar, au niveau des régions sous-rotulienne et ischiatique et au bout des doigts. Partout ailleurs, une compression constante et prolongée entraîne une nécrose de compression et, si la pression est intermittente, une bourse séreuse apparaît (Kuhns) [150]. Ce tissu fibro-élastique, présent dès la naissance, se détériore avec l'âge. Chez le jeune, ce tissu est ferme et élastique; il est moins ferme et moins épais chez les gens âgés; il est détérioré par le vieillissement, l'alitement prolongé, la surcharge pondérale.

Si un traitement correct n'est pas appliqué, sa détérioration sera permanente car il n'y a pas de régénération de ce système. Cette structure très particulière fait comprendre l'intérêt de rétablir la forme du calcanéum pour que l'appui soit protégé par le coussinet élastique. Tout appui sur une coque plantaire défectueuse provoquera durillons et douleurs qui peuvent certes être améliorés par des semelles mais qui ne guérissent pas car les zones d'appuis anatomiques protégés par un tissu fibro-élastique ne sont plus respectées.

Les lésions de cette « coque » lors de traumatismes ouverts pourront poser d'importants problèmes de cicatrisation et des problèmes de chirurgie plastique presque insolubles en cas de grands délabrements avec pertes de substance. Lors des fractures fermées la coque semble très bien résister, les ecchymoses fusent vers l'avant et les faces latérales, où le conjonctif est beaucoup plus lâche. La plupart du temps elle protège bien des séquelles, les cals vicieux et saillies osseuses n'étant gênantes qu'aux endroits où la peau talonnière ne présente pas cette texture spécifique : extrémité antérieure, faces latérales et postérieures de l'os.

PHYSIOLOGIE BIOMÉCANIQUE
DE LA SOUS-ASTRAGALIENNE

Le segment de cylindre plein « thalamus » de Destot s'articule avec le segment de cylindre creux de l'astragale selon un grand axe oblique d'arrière en avant, de dedans en dehors, légèrement de haut en bas. Les articulations sont des arthrodies ne permettant que des mouvements discrets. Il y a du jeu articulaire avec discordance en position extrême mais une concordance stricte dans une position moyenne (Kapandji) [139]. En inversion mouvement associant la supination, l'adduction et l'extension du pied, l'extrémité antérieure du calcanéum s'abaisse légèrement (extension), se place en dedans (adduction), se couche sur la face externe (supination) ce qui avait inspiré à Farabeuf sa formule classique : « le calcanéum tangue, vire, roule sous l'astragale ». En éversion mouvement associant la pronation, l'abduction et la flexion dorsale du pied, l'extrémité antérieure du calcanéum s'élève légèrement (flexion dorsale), se déplace en dehors (abduction), se couche sur la face interne (pronation).

Ces mouvements se font autour d'un axe unique, l'axe de Henke qui pénètre par la partie supéro-interne du col de l'astragale, passe par le sinus du tarse, ressort par la tubérosité postéro-externe du calcanéum. Cet axe conditionne les mouvements de la sous-astragalienne et de la médio-tarsienne : couple de torsion étudié par R. Meary [191]. Ce couple de torsion permet l'adaptation du pied au sol, en particulier en terrain accidenté, par ses mouvements de latéralité.

Ces notions de physiologie articulaire classiques sont précisées et complétées par les recherches modernes. Ainsi l'électropodographie mise au point par

Rabischong [219] permet une approche statique et dynamique des points de charge de la plante du pied en enregistrant les pressions en station bipodale ou monopodale.

Des travaux récents réalisés dans le laboratoire d'anatomie du Professeur Delmas par P. Le Floch et G. Hidden [165] ont été consacrés à l'étude de l'articulation sous-astragalienne en charge. L'appui sole plantaire à plat, réalise un blocage passif de la sous-astragalienne, lié à l'inversion des courbures des surfaces articulaires antérieure et postérieure du couple astragalo-calcanéen.

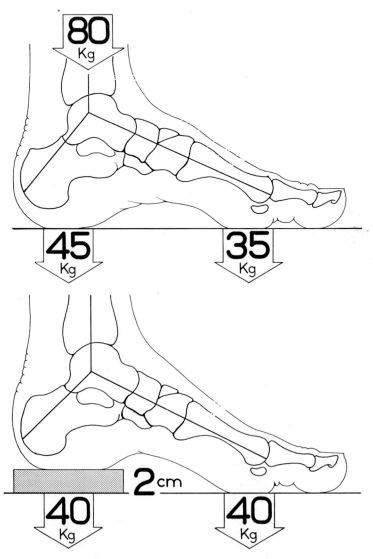

FIG. 8. — *Répartition des charges entre talon et avant-pied*
(d'après LELIÈVRE).

Les pressions sont alors minimales puisque les surfaces en contact sont maximales. L'inversion est le mouvement physiologique essentiel en position de repos et dans la phase oscillante du pas. Au glissement des surfaces articulaires s'associe leur baillement d'où l'incongruence en inversion.

Des études arthrographiques et cinématographiques sont en cours pour analyser la répartition des pressions en charge et au repos.

ÉTUDE RADIOGRAPHIQUE NORMALE

Le profil externe (fig. 9, A). — Le pied est couché sur son bord externe sur la cassette, en faisant avec la jambe un angle de 90°. Le rayon incident est dirigé à l'aplomb des malléoles sur la pointe de la malléole externe à 6 cm au-dessus de la plante.

Le profil externe apprécie la *morphologie globale* du calcanéum — grosse tubérosité, thalamus, grande apophyse. Il permet d'apprécier l'*articulation sous-astragalienne postérieure,* par l'étude des deux lignes concentriques convexes en haut et en avant. Il met en évidence les traits de *séparation frontaux.*

La limite postérieure du sinus, au bord antérieur de la surface thalamique, est un repère précieux « *crucial angle* » de Gissane, pour vérifier la qualité de la réduction après relèvement thalamique. Le profil externe permet de construire l'*angle de Boehler,* angle tubérosité postérieure - surface articulaire. Deux droites le délimitent, une tangente menée du bord supérieur de la grosse tubérosité au bord supérieur de la surface thalamique et une tangente de ce même point au point le plus élevé du bec de la grande apophyse. Il forme un angle ouvert en arrière de 25 à 40°. L'*enfoncement thalamique* sera mesuré en premier et deuxième degré pour les enfoncements thalamiques type III. La rupture de la coque plantaire signe le type IV.

Le profil interne (fig. 9, B). — Le pied couché sur son bord interne sur la cassette, faisant un angle de 90° avec la jambe. Le rayon incident passe à 1 cm sous la pointe de la malléole interne, à 6 cm de la plante.

Cette incidence met en évidence l'articulation sous-astragalienne antérieure. Par ailleurs, il permet de comparer la qualité de la réduction avec la radiographie de contrôle per-opératoire qui est un profil interne, compte tenu de la position de l'opéré et de la voie d'abord externe.

L'incidence oblique d'Anthonsen (fig. 10). — Le pied est couché sur son bord externe sur la cassette. Le rayon central tombe juste sous la malléole interne, le tube étant décalé de 30° vers les orteils et de 25° vers la plante. Elle met plus particulièrement en évidence la portion *horizontale du thalamus* et de l'interligne correspondant ainsi que le *sinus transverse* qui est pris en enfilade et la *grande apophyse.* Elle met également en évidence le trait de séparation sagittal.

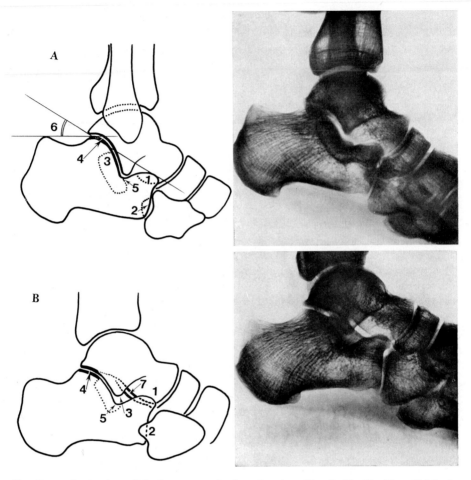

FIG. 9. — *Anatomie radiologique normale du calcanéum* (fig. 9, 10, 11, 12 : clichés du
Dr M. DUPUIS).
   A. Radiographie et schéma du profil externe. L'angle de Boehler.
   B. Radiographie et schéma du profil interne.
   1, bec de la grande apophyse; *2*, apophyse coronoïde du cuboïde; *3*, petite apophyse;
4, thalamus; *5*, « crucial angle »; *6*, angle de Boehler et articulation postéro-externe;
7, articulation antéro-interne.

Les incidences de face ou axiales. — Compte tenu de la présence de l'astragale et du squelette du cou-de-pied, une vue axiale directe de l'os ne peut
être obtenue. Il faut recourir à des artifices radiologiques qui donnent une
image tronquée.

La face rétro-tibiale, axiale descendante, dorsoplantaire. — Le rayon incident
se trouve dans un plan sagittal, incliné à 60° vers le pied, faisant un angle de
30° avec l'axe de la jambe. Il pénètre la partie postérieure du cou-de-pied

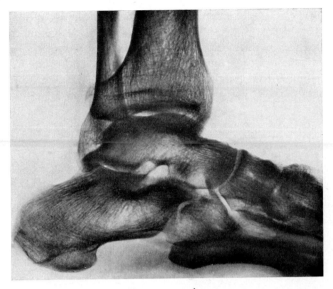

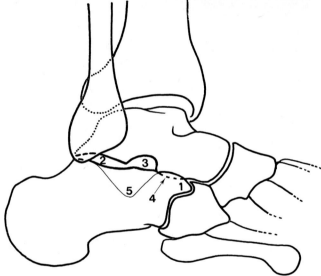

Fig. 10. — *Incidence oblique d'Anthonsen : radiographie et calque. 1,* bec de la grande apophyse; *2,* portion horizontale du thalamus; *3,* orifice interne du sinus transverse du tarse; *4,* petite apophyse; *5,* « crucial angle ».

à 15 cm de la plante. Cette incidence est de réalisation difficile car elle est faite sur le sujet debout; on lui préfère l'incidence plantodorsale sur sujet couché.

La face rétro-tibiale, axiale ascendante, plantodorsale de Boehler (fig. 11). — Le rayon incident pénètre par la plante, le pied étant en flexion dorsale maxima et reposant sur le talon. Cette flexion dorsale est difficile à obtenir car douloureuse; il en résulte souvent un cliché axial de qualité médiocre.

Cette incidence permet de voir la *grosse tubérosité* et son axe, le *sustentaculum tali*, le *corps du calcanéum* et *l'articulation sous-astragalienne postérieure* : double trait parallèle au niveau de la ligne bimalléolaire, le trait postérieur et inférieur est calcanéen, le trait antérieur et supérieur est astragalien.

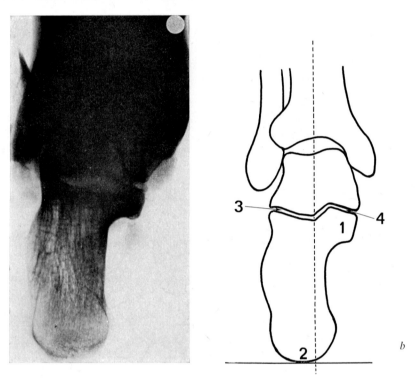

Fig. 11. — *Incidence rétro-tibiale ascendante : radiographie* (a) *et schéma* (b). *1,* petite apophyse; *2,* tubérosité postérieure; *3,* articulation sous-astragalienne postérieure; *4,* articulation sous-astragalienne antérieure.

Elle met e névidence le ou les *traits de séparation sagittaux,* l'enfoncement thalamique et l'éclatement de la corticale externe. Elle montre la *bascule* éventuelle de la grosse tubérosité en varus ou en valgus.

Incidence de face de R. Meary talon cerclé. — Le talon est légèrement surélevé par rapport à l'avant pied sur un bloc de plastique transparent aux rayons X. Il est cerclé par un fil métallique passant sur les malléoles. La tête de l'astragale doit être dégagée. Normalement l'axe du tibia coupe le talon à l'union du tiers interne et des deux tiers externes.

Cette radiographie per-opératoire permet de bien contrôler la bonne position lors d'une double arthrodèse sous-astragalienne et médio-tarsienne.

La dorsoplantaire du pied (fig. 12). — Sur un pied en extension de 20° le rayon est orthogonal au plan d'appui du pied. Sur cette incidence on apprécie l'interligne de la médio-tarsienne, la *grande apophyse* et les *traits de séparation sagittaux* qui peuvent y aboutir.

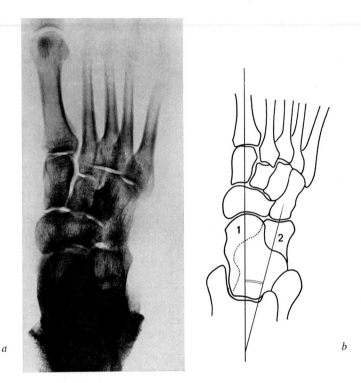

a *b*

FIG. 12. — *Incidence dorso-plantaire du pied :*
radiographie (a) *et calque* (b).
1, astragale; *2,* grande apophyse du calcanéum.

Tomographies. — Avec un polytome à balayage complexe (hypocycloïdal) on pourra préciser les lésions par la prise de tomographies en profil externe (fig. 13) numérotées à partir du plan de la table, la malléole externe reposant sur la plaque.

Des tomographies frontales (fig. 14), le talon sur la plaque, seront numérotées à partir du plan de la table (Jacques, Decoulx).

Les tomographies permettent une analyse plus approfondie de la fracture et apportent quelques finesses de diagnostic. Elles ne sont pas indispensables.

Quant aux xéroradiographies, elles permettent une vision globale du pied, os et parties molles et de mieux apprécier la morphologie et la topographie

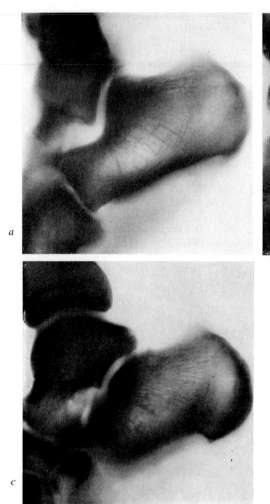

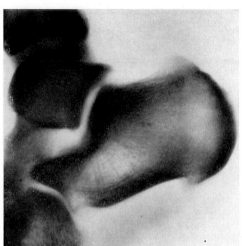

FIG. 13.

Tomographies et calques de profil externe. Coupes à 2, 3 et 4 cm (cliché Dr E. MONTAGNE).

des os de l'arrière pied superposées sur les standards, en particulier l'incidence de face. La rétro-tibiale met très bien en évidence la sous-astragalienne postérieure. Le profil externe est surtout utile pour les parties molles, tendon d'Achille, tissu fibroadipeux de la plante du pied.

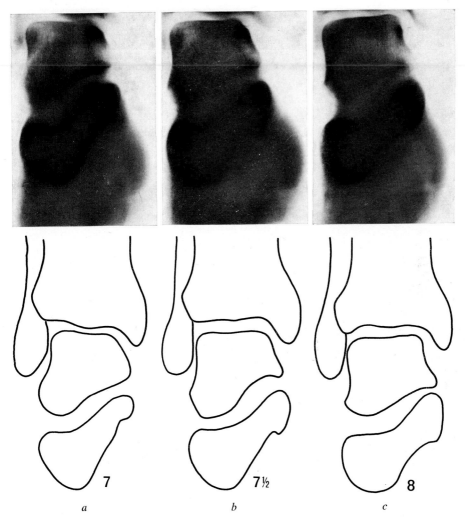

FIG. 14. — *Tomographies et calques frontales. Coupes à 7, 7,5 et 8 cm* (clichés Dr E. MONTAGNE).

L'arthrographie de l'articulation sous-astragalienne postérieure a été pratiquée par Meyer et Taillard de Genève. Elle n'a d'intérêt que pour l'exploration du syndrome du sinus du tarse et l'étude des instabilités sous-astragaliennes posté-rieures. Des injections des gaines des péroniers ont été pratiquées par des

Américains pour étudier le retentissement des fractures sur les péroniers [83].

En pratique nous conseillons un « complet du calcanéum » se composant :

— d'un profil externe et d'une incidence axiale plantodorsale ascendante; ce sont les deux clichés de base;

— d'un profil interne utile pour comparer avec les radiographies de contrôle per-opératoires, d'une incidence oblique d'Anthonsen et d'une verticale prétibiale; ce sont les trois clichés d'appoint auxquels on peut éventuellement ajouter un cliché comparatif de profil du calcanéum sain.

ÉTUDE ANATOMO-CLINIQUE

ANATOMIE PATHOLOGIQUE

Compte tenu des caractères anatomiques du calcanéum, il faut distinguer, par rapport au thalamus qui en constitue le pivot articulaire central :

— les fractures se produisant à distance du thalamus classiquement groupées sous le nom de *fractures parcellaires* et qui sont extra-articulaires à l'exception de la fracture de la grande apophyse;

— les fractures englobant le thalamus classiquement regroupées sous le nom de fractures thalamiques et que nous proposons de nommer *fractures thalamiques* et *périthalamiques*. Elles sont articulaires même si parfois le trait de fracture ne passe pas directement à travers la surface articulaire.

Les fractures parcellaires. — Leurs traits de fracture et leur évolution sont en règle simples. Certaines d'entre elles peuvent toutefois poser des problèmes. Elles comprennent :

Les fractures de la tubérosité postérieure parfaitement décrites par Boehler :

— *Fractures de l'angle postérieur supérieur* (fig. 15). Le trait de fracture peut siéger au-dessus de l'insertion du tendon d'Achille (fig. 15, a) ou en dessous de celle-ci (fig. 15, b); il peut être simple ou comminutif (fig. 15, c). Le fragment détaché se déplace vers le haut soit en basculant soit en glissant obliquement le long de la surface de fracture.

— *Fractures du tubercule postéro-interne* de la tubérosité plantaire postérieure. Il s'agit d'un trait inférieur simple (fig. 16 et fig. 28) ou comminutif avec ou sans déplacement.

— *Les fractures « totales » de la tubérosité postérieure* (fig. 17) (synonyme : fracture rétrothalamique). Elles emportent « en totalité » la grosse tubérosité postérieure selon un trait rétrothalamique vertical.

Les fractures du bec de la grande apophyse. — Elles sont en réalité articulaires car en pleine articulation calcanéo-cuboïdienne. Elles accompagnent certaines entorses graves de la médiotarsienne. Elles siègent le plus souvent

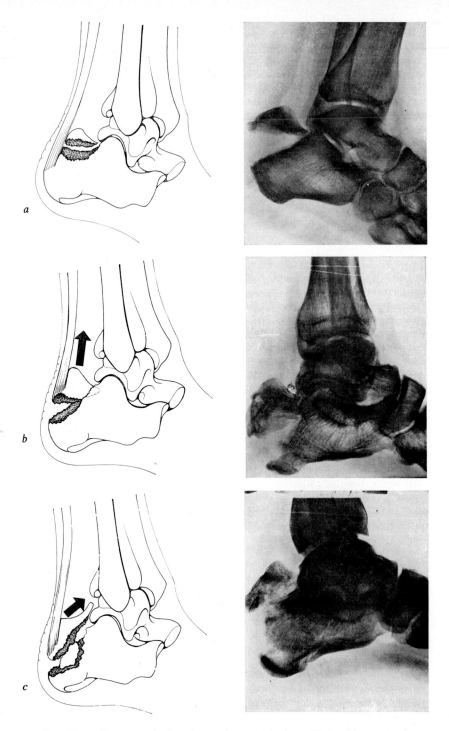

FIG. 15. — *Fractures de l'angle postéro-supérieur : radiographies et dessins.*
a) Au-dessus de la crête d'insertion du tendon d'Achille.
b) Au-dessous de la crête d'insertion du tendon d'Achille. *c)* Comminutive.

en haut et en dedans au niveau du bec de la grande apophyse (fig. 18, a), parfois en bas et en dehors (fig. 18, b). Le trait de fracture peut parfois être méconnu quand il ne s'accompagne pas de l'habituel et discret déplacement par avulsion. Il est alors mieux visible sur des incidences radiographiques type Anthonsen. Cette fracture peut être confondue avec un osselet surnuméraire

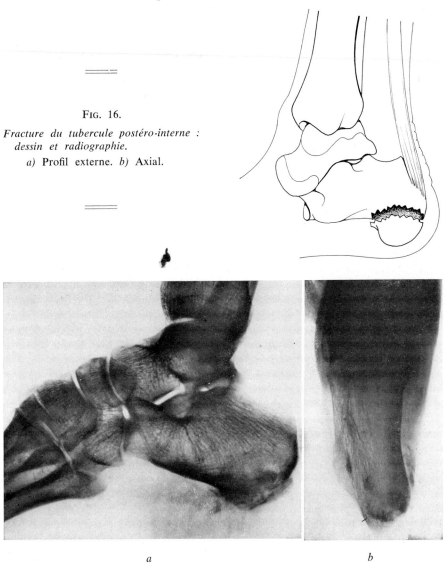

FIG. 16.

Fracture du tubercule postéro-interne : dessin et radiographie.

   a) Profil externe. *b)* Axial.

               a   *b*

du tarse appelé calcaneus secundarius (fig. 18, c). Les contours nets, réguliers et continus de ce petit fragment osseux, la logette apophysaire qui lui correspond exactement, enfin le caractère presque toujours bilatéral et symétrique, permettent de faire ce diagnostic.

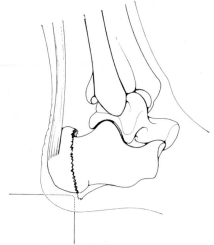

FIG. 17. — *Fracture totale de la tubérosité postérieure : dessin et deux exemples* (a *et* b).

Exemple 1 : *a)* profil externe; *b)* axial. Il s'agit d'un cas typique.

Exemple 2 : *c)* profil externe; *d)* axial. Il s'agit d'une fracture totale de la tubérosité postérieure avec fragment plantaire associé. Cette fracture pourrait être confondue avec une fracture enfoncement type 3 ou 4. En réalité la surface thalamique n'est pas enfoncée, le « crucial angle » n'est pas décroché, la tubérosité postérieure est ascensionnée et sur le cliché axial on ne voit pas de trait sagittal.

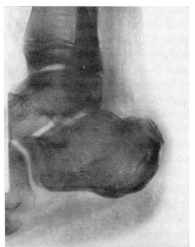

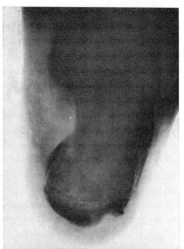

a

b

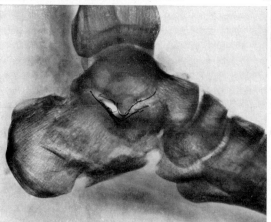

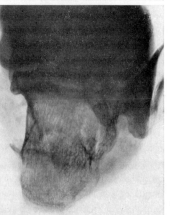

c

d

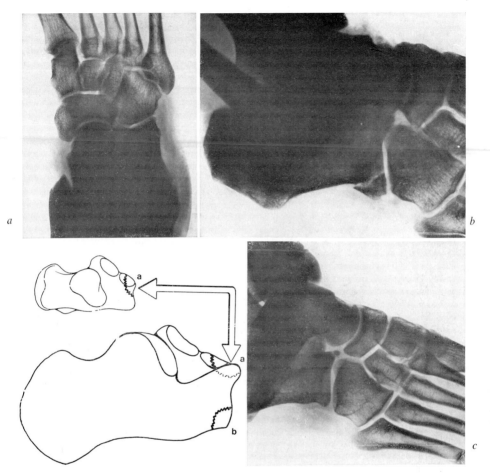

FIG. 18. — *Fracture de la grande apophyse : dessin et radiographies.*
a et *b)* Fractures de l'angle externe. *c)* Os surnuméraire : calcaneus secundarius.

La fracture du tubercule des péroniers classique mais très rare. Elle suppose l'hypertrophie de ce tubercule. Nous n'en avons pas vu dans notre série.

La fracture isolée du sustentaculum tali ou de la petite apophyse. Cette fracture ne devrait plus être décrite parmi les fractures parcellaires du calcanéum. Il s'agit en effet d'un trait de fracture sagittal fondamental de la fracture séparation du thalamus dans sa variété interne à travers le sinus du tarse (fig. 19 *a*).

Les fractures thalamiques et périthalamiques. — Ces fractures forment le groupe le plus important, le plus grave et le plus complexe à décrire. Les classifications proposées sont nombreuses (voir annexe I).

En France la classification la plus complète reste celle de Boppe et Paitre qui a été longtemps, très largement utilisée.

Les chirurgiens de langue allemande utilisent volontiers la classification de Boehler et celle, très simplifiée de Jimeno Vidal.

Dans les pays anglosaxons les classifications de Palmer, Warrick et Bremner, d'Essex Lopresti et de Watson Jones qui se ressemblent toutes, ont la faveur des orthopédistes.

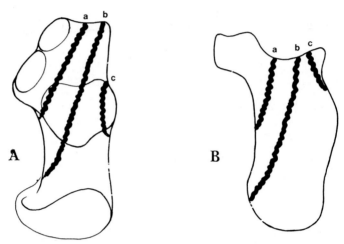

FIG. 19. — *Les traits de séparation sagittaux fondamentaux.*
A. Vue supérieure. *B*. Incidence axiale.
a, variété interne; *b*, variété médiane; *c*, variété externe.

Nous ne reprendrons ni ne critiquerons dans le détail aucune de ces classifications dont certaines rebutent du fait de leur complexité. Ce caractère rebutant a d'ailleurs conduit certains auteurs de langue française à une simplification outrancière du genre fractures simples, fractures complexes ou fractures posant des problèmes et celles n'en posant pas. Une telle attitude est en réalité un constat d'ignorance. On ne traite bien que ce que l'on connaît bien. Pour des fractures aussi multiformes que les fractures thalamiques du calcanéum, il n'est pas possible de faire l'économie de l'étude analytique très détaillée des lésions. Une tentative synthétique de simplification et de classification ne peut intervenir que dans une seconde phase.

C'est en suivant cette démarche intellectuelle tour à tour analytique et n'éludant pas la complexité, puis synthétique et simplificatrice que nous tenterons la description et la classification des fractures thalamiques et péri-thalamiques. Nous nous référerons à la classification de Duparc [87] qui nous a devancé dans cette voie.

Les deux fils conducteurs de l'étude de ces lésions dont la complexité peut décourager celui qui en aborde l'étude sont :

— la notion de *séparation* par un trait le plus souvent *sagittal* en relation avec un mécanisme de *cisaillement;*
— la notion d'*enfoncement* succédant à un mécanisme de *compression.*

Les fractures thalamiques sont en règle générale des *fractures séparation enfoncement*.

a) **Les traits de fracture-séparation.** — 1. Ils sont en règle sagittaux, très obliques, d'avant en arrière (cf. étude mécanique) et siègent typiquement :

— En situation interne ou antéro-interne tout le long du sinus transverse du tarse (fig. 19 *a*). (C'est la lésion qualifiée à tort de fracture isolée de la petite apophyse);

— En situation plus ou moins médiane transthalamique (fig. 19 *b*), passant donc en pleine surface cartilagineuse.

Ces deux variétés de traits fondamentaux de séparation ont en commun de traverser de part en part la grande apophyse et la corticale interne et de délimiter ainsi un gros fragment antéro-interne;

— Le troisième trait sagittal (fig. 19 *c*) peut siéger sur le versant externe environ à l'union des deux tiers internes et du tiers externe de la surface thalamique se prolongeant ou non vers la grande apophyse en avant et la tubérosité postérieure contribuant à délimiter un fragment corticothalamique externe. Il peut être associé à un trait de siège a ou b et prend alors place dans le tableau de la fracture séparation enfoncement. Il est parfois isolé et doit alors *stricto sensu* être considéré comme une fracture parcellaire du thalamus.

L'obliquité du trait sagittal est variable par rapport au type antéro-postérieur longitudinal décrit et peut tendre à une orientation plus transversale d'arrière en avant et de dedans en dehors (fig. 20). Dans leur version a, b, c, les traits sagittaux ne sont pas visibles sur le cliché de profil. Sur cette incidence seul un trait de type b ayant tendance à prendre une orientation plus tranversale est visible et peut alors être confondu avec un trait préthalamique (fig. 20).

En règle générale d'ailleurs la plupart des traits de fracture étiquetés pré-thalamiques ou de la grande apophyse, représentent la portion terminale antéro-externe d'un trait de fracture séparation sagittal.

Ils peuvent être mieux visibles car pris en enfilade sur un cliché oblique type Anthonsen.

L'incidence d'élection pour la visualisation des traits sagittaux est bien entendu le cliché axial plantodorsal (fig. 19, B). Toutefois la qualité souvent médiocre de ces clichés rend leur lecture ardue. Les tomographies frontales constituent également un bon moyen de saisir un aspect des traits sagittaux (fig. 21).

Enfin la partie toute antérieure du trait sagittal dans sa version b longitudinale antéropostérieure est visible sur l'incidence de face prétibiale (fig. 22).

— Diverses associations ou variantes sont possibles (fig. 23) l'association de deux traits sagittaux interne et externe est relativement fréquente ainsi que l'existence de traits en Y l'association à des traits de refend transversaux incomplets ou complets allant même refend le fragment antéro-interne est possible et constitue une découverte opératoire.

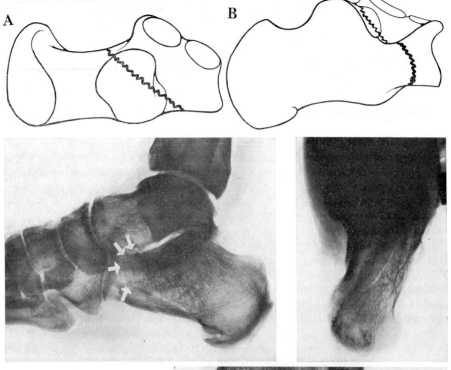

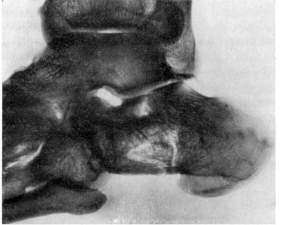

FIG. 20. — *Trait de séparation sagittal à orientation oblique transversale.*

Dessin *A* : vue supérieure. Dessin *B* : vue externe.

Radiographie : *a)* profil externe; *b)* axial; *c)* oblique d'Anthonsen.

Le trait sagittal est bien visible sur les incidences axiale et d'Anthonsen et mal visible sur le cliché de profil externe à la hauteur de la grande apophyse.

b) **Dans certains cas** correspondant vraisemblablement à un cisaillement dans le plan frontal strict ou à une fracture par flexion, le trait de fracture séparation est transversal (fig. 24). Il siège alors en pleine surface thalamique (a) en règle à l'union du tiers moyen et du tiers inférieur et s'accompagne volontiers d'un déplacement en marche d'escalier plus ou moins important.

Sa variété rétrothalamique (b) n'est autre que la fracture « totale » de la tubérosité postérieure. Dans sa variété très antérieure, ce trait peut être

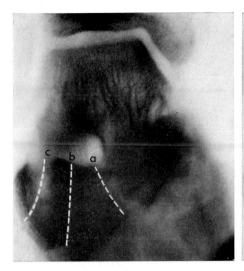
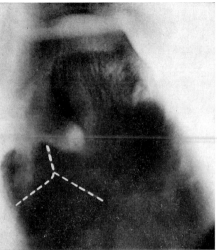

FIG. 21. — *Tomographies verticales frontales.*

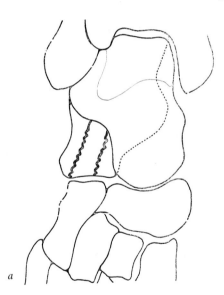
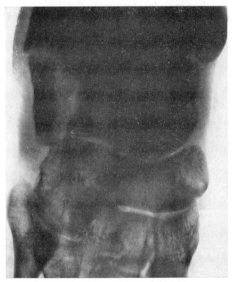

a   *b*

FIG. 22. — *Schéma* (a) *et radiographie* (b) *de face prétibiale montrant l'aboutissement antérieur du trait de séparation sagittal avec luxation partielle calcanéo-cuboïdienne.*

qualifié de préthalamique. Il ne faut pas le confondre avec le trait transversal préthalamique qui est associé à l'enfoncement du thalamus (cf. plus loin).

Ces traits de séparation transversaux sont bien visibles sur les clichés de profil et invisibles sur les autres incidences.

La fracture séparation peut exister à l'état plus ou moins pur avec ou sans déplacement. Elle est nommée *fracture séparation à deux fragments de type I* à trait sagittal (fig. 25 et 26) ou transversal (fig. 27, 28 et 29).

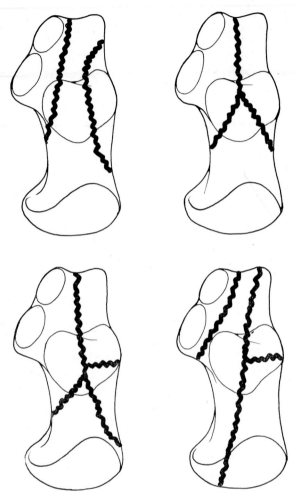

FIG. 23. — *Quelques associations*
de traits de fracture.

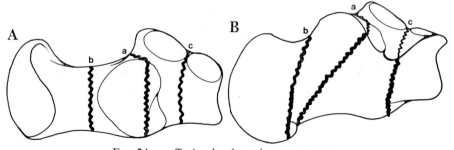

FIG. 24. — *Traits de séparation transversaux.*
A. Vue supérieure. *B.* Vue externe.
a, transthalamique; *b,* rétrothalamique; *c,* préthalamique.

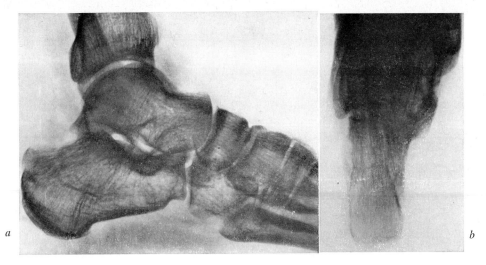

a

b

FIG. 25. — *Fracture-séparation type 1 à trait sagittal sans déplacement.*
a) Profil externe. *b)* Axiale.
Le trait de fracture-séparation sagittal n'est pas visible sur le profil externe.

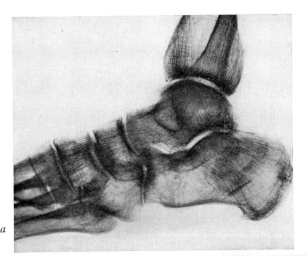

a

b

FIG. 26.

Fracture-séparation type 1 à trait sagittal déplacé.

a) Profil externe. *b)* Axial. *c)* Anthonsen.
L'incidence d'Anthonsen révèle le trait sagittal.

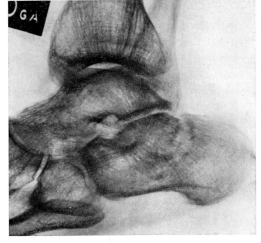

c

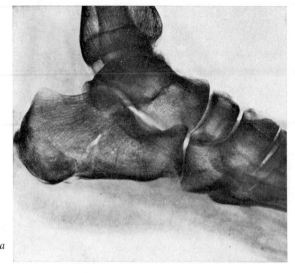

a

b

FIG. 27. — *Fracture-séparation type 1 à trait transversal non déplacé,*
avec fracture parcellaire du tubercule postéro-interne associée.
a) Profil externe. *b)* Axial.

c) **Les lésions d'enfoncement.** — L'enfoncement détermine la constitution
d'un fragment qui pénètre dans le calcanéum.

Classiquement et le plus souvent vertical environ 60 % dans notre statistique,
plus rarement horizontal environ 30 % dans notre statistique, parfois l'enfoncement est *parallèle,* fréquemment il exécute en plus un mouvement de *bascule*
en valgus autour d'un axe longitudinal.

L'enfoncement *mixte* horizontal et vertical (fig. 42) est une rareté : environ
2 % dans notre statistique.

Le fragment peut s'enfoncer plus ou moins profondément. *Trois degrés*
sont décrits pour les deux principales variétés horizontale et verticale.

Enfin selon la localisation des traits de fracture le fragment enfoncé
comportera une partie du thalamus : il sera *partiel;* ou la totalité : il sera *total.*

Séparation et enfoncement délimitent ainsi des fragments qu'il convient
d'étudier (fig. 30).

Le trait fondamental sagittal sépare le calcanéum en deux fragments :

— *le fragment antéro-interne* (fig. 30, 1);
— *le fragment postéro-externe* (fig. 30, 2) dans lequel va se produire
l'enfoncement isolant un nouveau fragment :
— *le fragment thalamocortical enfoncé* (fig. 30, 3);
— le fragment postéro-externe restant peut lui-même selon l'intensité
de l'enfoncement être le siège de traits de refend.

1. LE FRAGMENT ANTÉRO-INTERNE (fig. 30, 1) est formé par :

— une partie plus ou moins grande de la grande apophyse en avant,

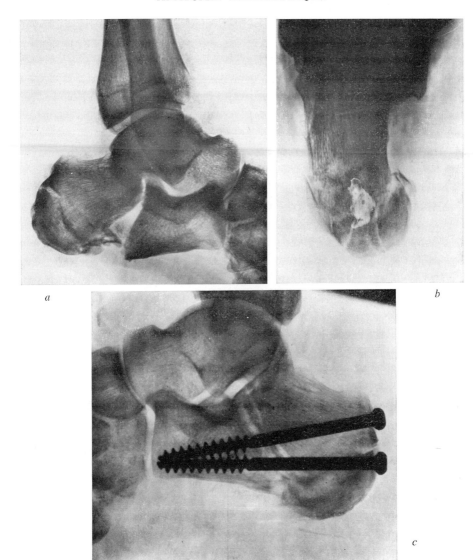

a

b

c

FIG. 28. — *Fracture-séparation type 1 à trait transversal très déplacé, montrant bien le mécanisme par flexion.*
Fracture parcellaire du tubercule postéro-interne associé. Ostéosynthèse par vissage.
a) Profil externe. *b)* Axial. *c)* Vissage.

— en dedans par le sustentaculum tali portant à sa face supérieure la surface articulaire antéro-interne avec l'astragale;
— le plancher du sinus du tarse avec l'insertion du ligament interosseux « en haie »;

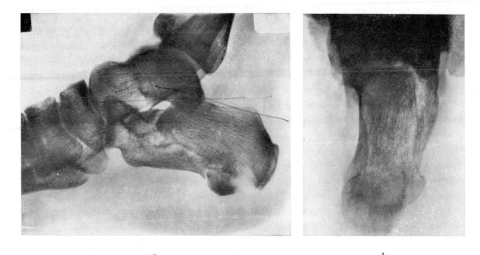

a   *b*

FIG. 29. — *Fracture-séparation type 1 à trait transversal très antérieur à la limite du thalamus.*

Cette fracture peut être confondue ou assimilée à un enfoncement vertical.
a) Profil externe. *b)* Axial.

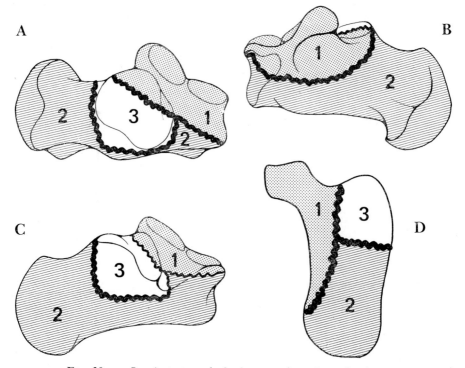

FIG. 30. — *Les fragments de la fracture-séparation-enfoncement.*

A. Vue supérieure. *B.* Vue interne. *C.* Vue externe. *D.* Incidence axiale.
1, fragment antéro-interne; *2*, fragment postéro-externe; *3*, fragment cortico-thalamique.

— une partie du thalamus si le trait est transthalamique;

— en dedans ce fragment emporte une partie plus ou moins importante de la corticale interne selon que le trait sagittal est pré ou transthalamique.

Parfois la partie basse de cette surface corticale interne peut être refracturée.

Enfin ce fragment antéro-interne peut être refracturé par un trait transversal vertical comme nous avons pu le constater sur des tomographies de profil (fig. 31).

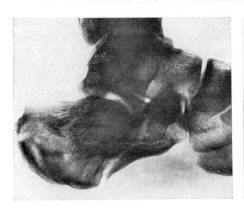
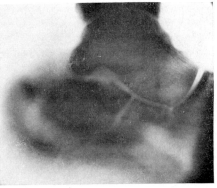

a   FIG. 31. — *Trait transversal de refend du fragment antéro-interne.*   *b*
a) Radiographie. *b)* Tomographie.

2. LE FRAGMENT POSTÉRO-EXTERNE (fig. 30, 2) représentant le reste du calcanéum est en règle le siège de l'enfoncement. Le fragment enfoncé a été dénommé fragment corticothalamique (fig. 30, 3) car il comporte toujours un noyau de tissu corticospongieux relativement important.

LE FRAGMENT CORTICO-THALAMIQUE ENFONCÉ VERTICALEMENT (fig. 32) est caractérisé selon Boppe et Paitre dans sa forme typique en soufflet par la verticalité de la surface thalamique et l'horizontalité des traits de refend; il est limité :

— en dedans par le trait fondamental sagittal;

— en avant par un trait préthalamique constant et obligé qui est d'orientation transversale verticale, s'arrête le plus souvent au contact du trait sagittal, parfois le dépasse et va refracturer le fragment antéro-interne;

— en bas par un grand trait intraspongieux sensiblement horizontal venant fendre la corticale externe et qui se prolonge en arrière pour rejoindre le trait sagittal :

— soit jusqu'au bord postérieur de l'os réalisant la classique « fracture en soufflet » (fig. 32, a),

— soit en rejoignant la face supérieure de l'os à mi-chemin entre bord postérieur et thalamus (fig. 32, b),

— soit enfin en rejoignant cette face supérieure au ras du rebord postérieur du thalamus (fig. 32, c).

La surface articulaire thalamique est plus ou moins verticalisée et « pique
du nez » dans le corps de l'os. L'interligne astragalo-calcanéen forme un angle

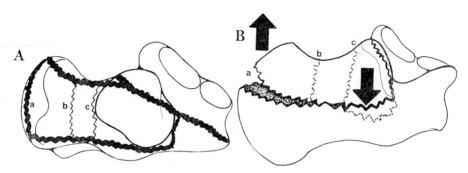

FIG. 32. — *Le fragment cortico-thalamique enfoncé verticalement.*
A. Vue supérieure. *B.* Vue externe.

aigu ouvert vers l'avant et vers le bas. *L'importance de cet enfoncement* est
cotée depuis Boppe et Paitre [210] en :

— 1er degré se caractérisant par (fig. 33, A et fig. 34) :
— une verticalisation modérée de la surface articulaire thalamique,
— une simple fissure au point d'aboutissement postérieur ou supérieur
du trait de refend horizontal sans ouverture « en soufflet »,
— un angle de Boehler positif;

— 2e degré se caractérisant par (fig. 33, B et fig. 35) :
— une verticalisation importante,
— l'existence d'un soufflet postérieur ou d'une encoche supérieure,
— l'absence de retentissement sur le fragment postéro-externe avec
intégrité de la corticale plantaire ou à la limite simple fissuration
de refend sans retentissement sur la courbure de cette corticale,
— l'angle de Boehler tend à zéro;

— 3e degré caractérisé par (fig. 33, C et fig. 36, 37) :
— une verticalisation majeure de la surface thalamique,
— une rupture plus ou moins complexe de la corticale plantaire avec
effondrement de sa courbure, traits de refend fréquents vers les
tubérosités plantaires postéro-externes et postéro-internes,
— le soufflet postérieur peut être à son maximum ou au contraire
télescopé du fait du double mouvement d'enfoncement massif et de
fracture en flexion de la corticale plantaire refoulant vers le haut
le massif tubérositaire postérieur,
— l'angle de Boehler est négatif.

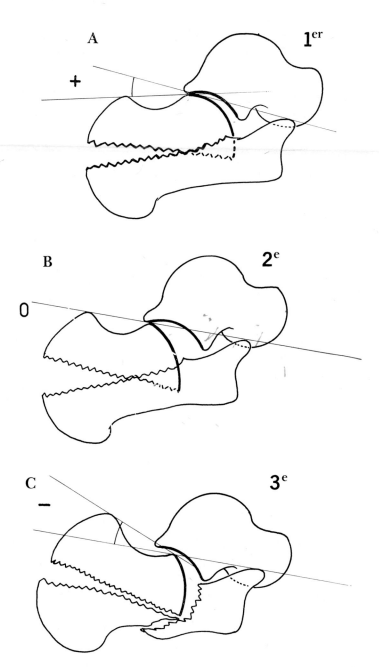

FIG. 33. — *Les trois degrés d'enfoncement verticaux.*
A. 1er degré. *B.* 2e degré. *C.* 3e degré.

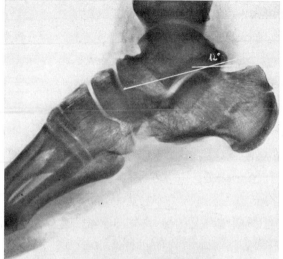

a

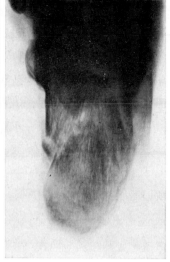

b

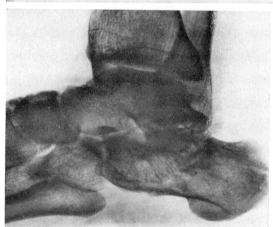

c

Fig. 34.

*Fracture - séparation - enfonce-
ment type 3 vertical partiel,
1er degré.*

a) Profil externe. *b)* Axial.
c) Anthonsen.

L'incidence d'Anthonsen
montre bien la portion interne du trait sagittal.

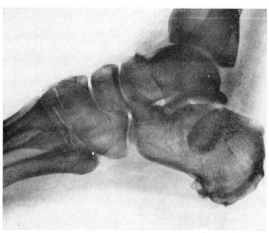

a

b

Fig. 35.

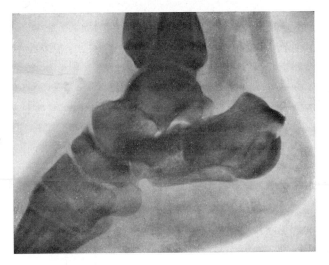

FIG. 36. — *Fracture-séparation-enfoncement*
type 4 vertical, 3ᵉ degré. Profil externe.

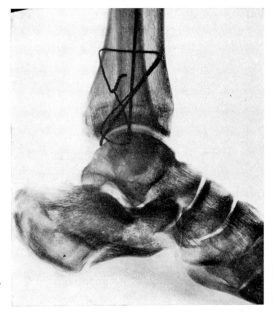
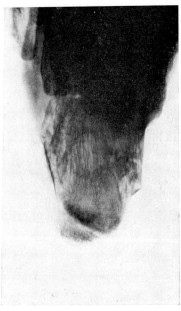

a   b

FIG. 37. — *Fracture-séparation-enfoncement type 4 vertical total, 3ᵉ degré.*
a) Profil externe. b) Axial.
La verticalisation du thalamus est importante, la corticale plantaire est rompue et l'angle
de Boehler est négatif.

FIG. 35. — *Fracture-séparation-enfoncement type 3 vertical partiel, 2ᵉ degré.*
a) Profil externe. b) Axial.
Il n'y a pas de trait de refend en soufflet mais immédiatement rétrothalamique. L'interligne articulaire bâille fortement vers l'avant et vers le bas.

LE FRAGMENT CORTICO-THALAMIQUE ENFONCÉ HORIZONTALEMENT (fig. 38) est caractérisé selon Boppe et Paitre [210] par l'horizontalité de la surface articulaire thalamique et la verticalité des traits de refend; il est limité comme pour l'enfoncement vertical :

— en dedans par le trait de séparation fondamental sagittal,
— en avant par un trait préthalamique transversal vertical,
— en dehors par la fracture de la corticale externe caractérisée vu sa faible résistance mécanique, par un refoulement « une soufflure »,
— en bas par un tassement spongieux,

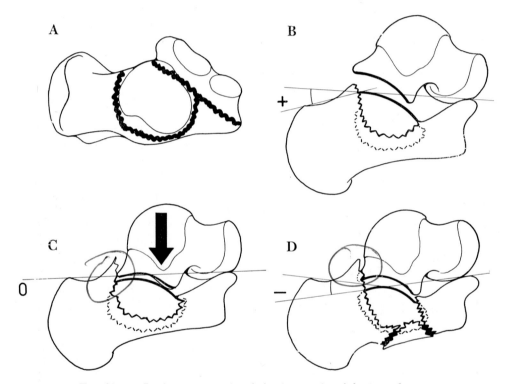

FIG. 38. — *Le fragment cortico-thalamique enfoncé horizontalement.*
Les trois degrés d'enfoncement horizontal.
A. Le fragment : vue supérieure. *B.* 1er degré. *C.* 2e degré. *D.* 3e degré.

— en arrière par contre il s'agit toujours d'un trait vertical immédiatement rétrothalamique aboutissant à la face supérieure de l'os où l'on note le « décrochage » postérieur du thalamus abaissé par rapport à la corticale supérieure du calcanéum.

La surface articulaire thalamique est plus ou moins horizontalisée.

L'interligne astragalo-calcanéen forme un angle aigu ouvert vers l'arrière et vers le haut. Assez souvent toutefois l'astragale suit le mouvement d'enfoncement en s'horizontalisant lui-même de telle sorte que l'interligne reste parallèle, réalisant l'enfoncement dit parallèle (fig. 39).

A vrai dire cette distinction entre enfoncement horizontal et parallèle nous semble trop subtile et ne mérite pas d'être maintenue, le second pouvant être assimilé au premier.

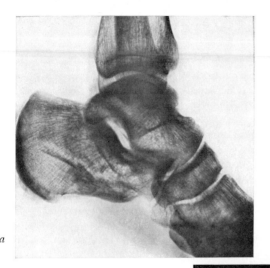

a

b

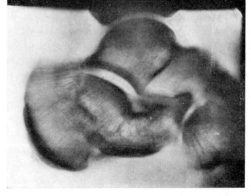

c

FIG. 39.

Fracture - séparation - enfoncement type 3 horizontal total, 1ᵉʳ degré.

a) Profil externe. *b)* Axial.
c) Tomographie de profil.

La tomographie montre mieux l'enfoncement; l'interligne reste parallèle.

La cotation de l'importance de l'enfoncement est la même que pour l'enfoncement vertical :

— 1ᵉʳ degré se caractérisant par (fig. 38, B et fig. 39) :
    — une horizontalisation modérée de la surface articulaire du thalamus,
    — un tassement trabéculaire sous thalamique,
    — un angle de Boehler restant positif;
— 2ᵉ degré se caractérisant par (fig. 38, C et fig. 40) :
    — une horizontalisation plus importante,
    — un décrochage postérieur réalisant une véritable marche d'escalier,

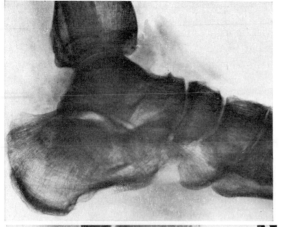 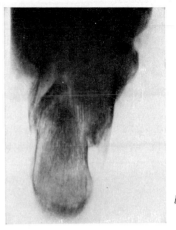

a   b

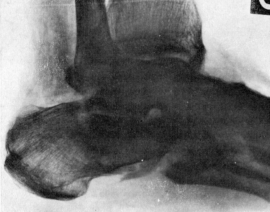

FIG. 40.

Fracture - séparation - enfoncement type 3 horizontal partiel, 2ᵉ degré.

a) Profil externe. *b)* Axial. *c)* Anthonsen.
Le fragment enfoncé est basculé en valgus.

c

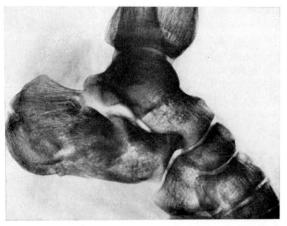 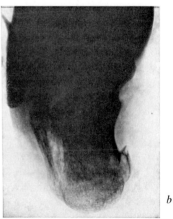

a   b

FIG. 41. — *Fracture-séparation-enfoncement type 4 horizontal total, 3ᵉ degré.*
a) Profil externe. *b)* Axial.
Important bâillement postérieur de l'interligne.

— un tassement trabéculaire plus important,
— une corticale plantaire intacte,
— un angle de Boehler avoisinant 0°;
— 3e degré (fig. 38, D et fig. 41) :
  — horizontalisation, décrochage, tassement trabéculaire maximum et
    surtout rupture de la corticale plantaire avec angulation de l'os et
    ascension du massif tubérositaire postérieur avec aspect d'encastre-
    ment de l'astragale dans le calcanéum,
  — l'angle de Boehler est inversé.

Il ressort de cette description que l'enfoncement se lit :

1. *Sur le cliché de profil externe :*
   — par l'orientation de la surface thalamique par rapport à la surface
     astragalienne qui en donne le sens, vertical ou horizontal et parallèle,
     par l'existence d'un double contour qui signe le caractère partiel de
     l'enfoncement;
   — par les traits de refend antérieurs avec décrochement du « crucial
     angle » qui signe l'enfoncement et postérieurs, l'image de soufflet
     étant pathognomonique de l'enfoncement vertical, le décrochage rétro-
     thalamique de l'enfoncement horizontal ou parallèle;
   — par la présence d'un tassement trabéculaire;
   — par la valeur de l'angle de Boehler.

2. *Le cliché axial* donne des renseignements assez grossiers mais très
   importants sur l'enfoncement :
   — l'aspect raccourci, télescopé de l'image dont l'importance est propor-
     tionnelle au degré d'enfoncement, quand il ne s'agit pas d'un défaut de
     flexion dorsale du pied lors de la réalisation du cliché;
   — parfois il est possible de percevoir la bascule en valgus du fragment
     enfoncé autour de son grand axe;
   — enfin c'est le cliché axial qui renseigne sur le caractère global ou
     partiel de l'enfoncement;
   — par contre le sens de l'enfoncement vertical ou horizontal n'est pas
     lisible sur le cliché axial plantodorsal mais son importance est
     capitale pour apprécier les désaxations en varus ou valgus du
     fragment tubérositaire;
   — les tomographies de profil et verticales frontales permettent de
     préciser les caractéristiques de l'enfoncement.

L'analyse précise du sens, du degré et du caractère partiel ou total de
l'enfoncement est jugée superflu et sans intérêt par certains. Nous verrons au
chapitre du traitement qu'une telle opinion est fausse. Le seul reproche à
faire à cette étude analytique est sa relative imprécision entraînant en
pratique des difficultés réelles de reconnaissance des trois degrés d'enfoncement. Les critères de léger, moyen, important ainsi que l'angle de Boehler et
l'état de la corticale plantaire sont relativement flous mais ne constituent pas

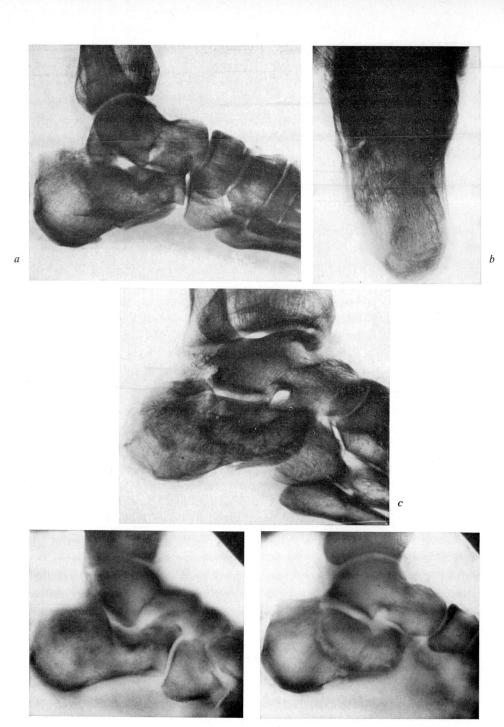

FIG. 42. — *Fracture-séparation-enfoncement type 4 mixte.*

a) Profil externe. *b)* Axial. *c)* Anthonsen. *d)* Deux coupes tomographiques de profil.
L'enfoncement mixte vertical externe, horizontal interne est discernable sur les clichés
standard, très bien visible sur les coupes tomographiques.

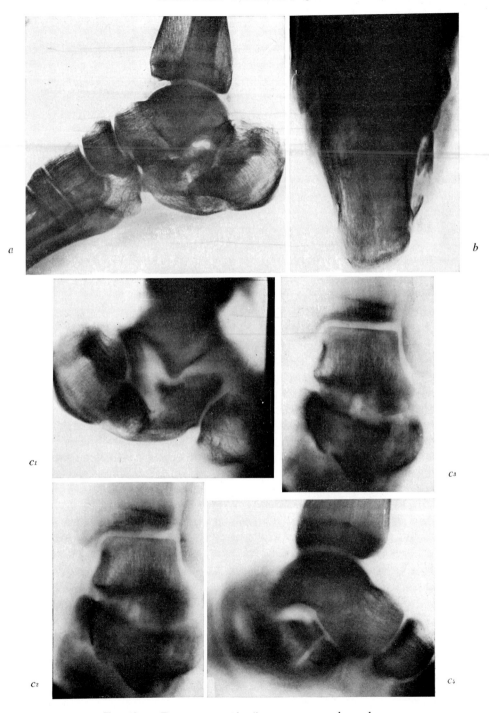

FIG. 43. — *Fracture comminutive « en tampon buvard ».*
a) Profil externe. *b)* Axial. *c)* Tomographies verticale et sagittale.

moins des repères utilisables pour débrouiller les images radiologiques d'interprétation complexe et ardue.

Il découle de cette description que lorsque l'enfoncement s'associe à la séparation nous serons en présence de *fracture séparation enfoncement :*
- de type 3, c'est-à-dire à trois fragments lorsque l'enfoncement ne refend pas de part en part le fragment postéro-externe. Dans ce type l'enfoncement sera le plus souvent du 1er ou 2e degré (fig. 34, 35, 39 et 40);
- de type 4, c'est-à-dire à quatre fragments et plus lorsque le fragment postéro-externe est refracturé de part en part en deux ou plusieurs fragments. Dans ce type l'enfoncement sera le plus souvent du 3e degré (fig. 36, 37, 41 et 42).

Le degré ultime de la fracture séparation enfoncement sera représenté par l'écrasement total ou fracture en tampon de buvard ou *fracture comminutive* (fig. 43).

d) **La luxation.** — Les notions de séparation et d'enfoncement ne résument pas la question des fractures thalamiques du calcanéum. Dans de rares cas il se produit à la place de l'enfoncement, une luxation du fragment postéro-externe.

C'est le type 2 ou fracture luxation du calcanéum (fig. 44, 45).

Ce type n'est connu et décrit que depuis peu de temps. Cette fracture avec luxation figure dans le rapport de Boppe et Paitre [210] et Merle d'Aubigné [192] en décrit un exemple devant l'Académie de Chirurgie en 1936 sous le nom de fracture isolée du sustentaculum tali. Dans les deux cas les auteurs méconnaissent toutefois la lésion essentielle qui est la luxation. Bien que décrite avec précision par Warrick et Bremner [263] en 1959, il semble que c'est à Jimeno Vidal [132] que revient le mérite de sa reconnaissance initiale. En effet, il en constate l'existence dès 1932 mais il ne lui consacre un article exhaustif qu'en 1960. Depuis lors Duparc [87] en 1970 et Biga et Thomine en 1976 [32] la font connaître dans les pays de langue française. Rare pour ces deux derniers auteurs, elle regrouperait près de 10 % des fractures thalamiques pour Jimeno Vidal. Elle représente 2,23 % dans notre série.

La lésion caractéristique est donc une luxation du fragment postéro-externe. Ce dernier bascule en varus autour de son axe antéro-postérieur; il échappe ainsi à la pression astragalienne et va se luxer en dehors sous la malléole externe qu'il peut même fracturer. Cette fracture luxation s'accompagne obligatoirement de lésions capsulo-ligamentaires externes avec rupture de la capsule articulaire et des ligaments astragalo-calcanéens, rupture constante du faisceau péronéo-calcanéen et parfois du faisceau antérieur péronéo-astragalien du ligament latéral externe de la cheville. La désinsertion du court péronier latéral au niveau de son insertion distale a également été décrite.

Enfin si le trait de fracture est très interne, le long du sinus du tarse, et s'il correspond à la coulisse ostéofibreuse du tendon du fléchisseur propre du

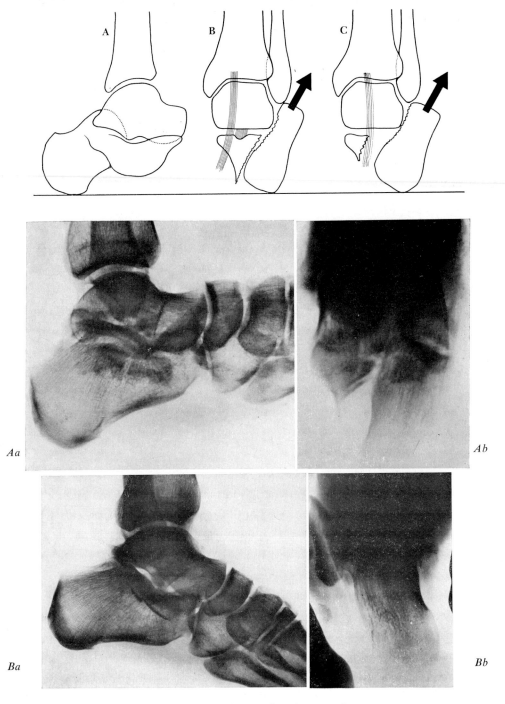

FIG. 44. — *La fracture-luxation type 2.*

Schéma : *A*. Vue externe. *B*. Vue axiale sans incarcération du tendon fléchisseur propre.
C. Vue axiale avec incarcération.

Radiographie : *A*. Avant réduction : *a)* profil externe; *b)* axial. *B*. Après réduction :
a) profil externe; *b)* axial.

gros orteil, il peut se produire une incarcération de ce tendon cause d'irréducti-
bilité imposant la réduction sanglante (fig. 44, C). Lorsque le trait de
fracture est plus externe, le danger d'incarcératiin n'existe pas (fig. 44, B).

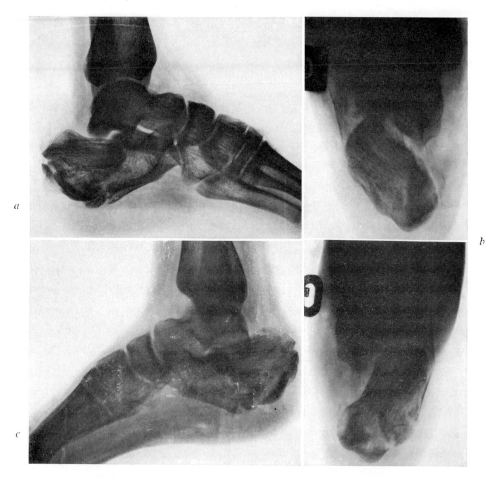

FIG. 45. — *Fracture-luxation type 2 bilatérale de type comminutif.*
a) Profil externe droit. *b)* Axial droit et gauche. *c)* Profil externe gauche.

Longtemps méconnue cette fracture luxation est pourtant bien visible :

— sur le cliché axial où l'on voit tout le massif postéro-externe déplacé
obliquement vers le haut et le dehors venir au contact de la pointe de la
malléole externe,

— sur le cliché de profil il y a superposition du thalamus et du segment
postéro-inférieur de l'astragale; cette image ne doit pas être confondue avec
l'aspect d'encastrement de l'astragale caractéristique de l'enfoncement
horizontal du 2e ou 3e degré.

e) **Les lésions associées du cartilage et des articulations.** — Jamais ou rarement évoquées dans les descriptions anatomopathologiques car invisibles à la radiographie, laissées pour compte par rapport aux lésions osseuses, elles occupent une place capitale car elles conditionnent la qualité du résultat final.

Elles consistent :

— en traits de fracture cartilagineux qui ne se résument pas aux seuls traits sagittaux fondamentaux mais dans une importante proportion des cas à des traits de refend associés réalisant une comminution cartilagineuse;

— en lésions d'abrasion plus ou moins profondes en rapport avec les frottements se produisant lors du traumatisme;

— en lésions de décollement plus ou moins étendues de mauvais pronostic;

— en lésions de contusion avec aspect bleuté en transparence du cartilage en rapport avec un hématome sous-cartilagineux.

Ces lésions siègent bien entendu avec prédilection sur le thalamus. La surface opposée de l'astragale n'est pas toujours indemne, car elle présente parfois un aspect contusionnel ou une petite abrasion en périphérie.

Les surfaces articulaires antéro-interne ne sont pas explorées chirurgicalement. On ne connaît donc guère leurs atteintes cartilagineuses. Mis à part les traits de fracture siégeant à la partie moyenne et à l'extrémité antérieure, ces lésions doivent être de moindre importance.

Quant aux lésions de l'articulation calcanéo-cuboïdienne elles sont très fréquentes sous forme des traits de fracture sagittaux qui viennent aboutir à son niveau (fig. 23). Compte tenu de l'existence dans certains cas de dislocation — souvent diagnostiquée à tort sur le vu d'une image d'ascension de la grande apophyse qui est en réalité physiologique — des lésions d'abrasion ou décollement cartilagineux doivent exister mais rarement car des séquelles tardives d'arthrose calcanéo-cuboïdienne n'attirent guère l'attention.

Il faut ajouter qu'il n'y a pas obligatoirement une relation directe entre l'importance du déplacement osseux en particulier de l'enfoncement et l'intensité des lésions cartilagineuses. Un enfoncement total « en bloc » du thalamus pourra laisser une surface articulaire globalement intacte. Vice versa, on sera souvent étonné en opérant une fracture pas ou peu déplacée de l'importance des lésions cartilagineuses absolument insoupçonnées à la radiographie.

Ces lésions cartilagineuses guérissent mal, le cartilage ne se régénère pas. La réduction la plus minutieuse de la fracture ne changera rien à leur évolution qui se fera inéluctablement vers l'arthrose avec usure du cartilage, pincement, ostéophytose, ostéosclérose et géode. Il n'est donc pas exagéré de dire qu'elles sont en grande partie responsables du pronostic des fractures thalamiques du calcanéum. Ce sont elles qui ont orienté un certain nombre de chirurgiens vers l'arthrodèse précoce.

En ce qui concerne les *lésions des structures capsuloligamentaires,* hormis celles notées dans les rares fractures luxations et les dislocations calcanéo-cuboïdiennes, elles sont en règle absentes ou discrètes se limitant à des élongations et à des distensions de la capsule sous-astragalienne et de ses ligaments péri-articulaires.

La gaine tendino-synoviale des péroniers est le siège constant d'un épanche-ment sanguin qui la distend. Nous n'avons jamais observé de rupture de cette gaine ou des tendons.

L'ouverture cutanée est rare mais grave tant sur le plan de l'évolution de la fracture avec risque d'ostéite que sur le plan parties molles proprement dites. En effet, les caractères anatomiques particuliers de la peau talonnière, rétro et sous-malléolaire expliquent les grandes difficultés de cicatrisation. Les aléas d'une éventuelle chirurgie plastique et la nécessité de recourir, parfois à l'amputation pour cet unique motif.

Au terme de cette étude anatomo-pathologique analytique des fractures du calcanéum, nous proposons, en synthèse, la classification suivante :

CLASSIFICATION

A. — FRACTURES PARCELLAIRES EXTRATHALAMIQUES

A*a*) De la tubérosité postérieure :

A*aa*) De l'angle postéro-supérieur :
— au-dessus de l'insertion du tendon d'Achille (fig. 15 *a*);
— au-dessous de l'insertion du tendon d'Achille (fig. 15 *b*);

A*ab*) Du tubercule postéro-interne (fig. 16, 28).

A*ac*) Totale (fig. 17).

A*b*) De la grande apophyse (fig. 18 *a, b*).

A*c*) Du tubercule des péroniers.

N. B. — La fracture « isolée de la petite apophyse » ne doit plus figurer dans cette rubrique car il s'agit :
— soit d'une fracture du type 1 périthalamique à trait sagittal interne longeant le sinus du tarse,
— soit d'une fracture luxation type 2.

B. — FRACTURES THALAMIQUES ET PÉRITHALAMIQUES

B*a*) *Type 1 :* fracture séparation à deux fragments principaux :
B*aa*) A trait sagittal (fig. 25, 26).
B*ab*) A trait transversal (fig. 27, 28, 29).

B*b*) *Type 2 :* fracture luxation (fig. 44, 45).

B*c*) *Type 3 :* fracture « séparation enfoncement » à trois fragments principaux; elle implique l'absence de rupture de la corticale plantaire ou une simple fissure au maximum :

vertical   total   en règle   1er degré (fig. 34, 35)

ou partiel   ou

                                                 2e degré (fig. 39, 40)

horizontal parallèle
(mixte)

B*d*) *Type 4* : fracture séparation enfoncement à quatre fragments principaux et plus; elle implique la rupture franche de la corticale plantaire :

vertical   (fig. 36, 37)

                         total   en règle   3e degré
                         ou partiel

horizontal parallèle   (fig. 41)

mixte   (fig. 42)

B*e*) *Ecrasement total* en tampon de buvard ou fracture comminutive (fig. 43).

Cette classification des fractures thalamiques garde un aspect complexe. En réalité son maniement devient relativement aisé si l'on passe progressivement du simple au compliqué.

1re question : auquel des quatre types fondamentaux de Duparc appartient cette fracture ?

Ce premier tri en règle facile, donne *ipso facto* la réponse à la question complémentaire : y a-t-il enfoncement car le diagnostic de type 3 ou 4 l'implique.

Difficultés :

— l'existence de refends plantaires qui peuvent être plus qu'une simple fissure et qui peuvent faire hésiter entre type 3 et 4;
— confusion d'un trait de refend plantaire avec un trait fondamental de séparation sagittal tendant à devenir oblique transversal (fig. 20).

2e question : quel est le sens de l'enfoncement ?

La réponse est en règle facile pour les variétés verticales et horizontales de loin les plus fréquentes.

Pièges et difficultés :

— l'absence d'image en soufflet pour certains enfoncements verticaux dont le refend peut être immédiatement rétrothalamique ou à mi-chemin entre bord postérieur du thalamus et angle supéro-externe;
— la reconnaissance des rares enfoncements mixtes mais il s'agit là d'une sophistication du diagnostic.

3e question : quel est le degré d'enfoncement ?

Qu'on l'exprime en léger, moyen et important ou en 1er, 2e ou 3e degré en appelant à l'aide l'angle de Boehler, on reste dans le domaine de l'appréciation en partie subjective.

Par ailleurs la règle de la correspondance du type 3 avec les 1er et 2e degré et du type 4 avec le 3e degré, souffre quelques exceptions.

4e question : le thalamus est-il partiellement ou totalement enfoncé ?

La réponse de cette importante question, car l'enfoncement global peut signifier intégrité du cartilage, est franchement difficile. Elle suppose un cliché plantodorsal impeccable ce qui est loin d'être la règle.

MÉCANISME

Le mécanisme des fractures du calcanéum n'est pas univoque; chaque variété de fracture ayant une physiopathologie spécifique.

Pour les fractures de l'angle postérosupérieur la théorie de l'arrachement classique depuis Boyer [2] est en réalité controversée. Selon Boehler ce mécanisme n'est pas en cause pour les fractures dont le trait siège au-dessus de la crête d'insertion du tendon d'Achille. Elles sont consécutives à un choc direct le plus souvent postérieur ou postéro-externe. La bascule vers le haut du fragment n'est pas due dans ce cas à la traction du tendon d'Achille mais à la pression qu'exerce sur lui le tendon lors de la flexion dorsale du pied.

Même pour les fractures siègeant sous la crête d'insertion du tendon d'Achille, il semblerait que celui-ci n'agirait que secondairement pour déplacer par traction le fragment détaché par le choc direct.

Selon Decoulx [71], ce mécanisme est presque toujours en cause en particulier chez le vieillard chez lequel cette fracture serait l'équivalent d'une rupture sous-cutanée du tendon d'Achille.

Des travaux expérimentaux récents (Wilhelm) [270] ont confirmé les constatations classiques en montrant que l'arrachement ne pouvait survenir que sur os fragilisé par l'ostéoporose.

Pour les fractures du tubercule postéro-interne, le mécanisme invoqué par Boehler [34] est celui d'un cisaillement par chute sur le talon, le pied étant en pronation flexion dorsale (fig. 46).

La fracture totale de la grosse tubérosité postérieure succède à un mécanisme de cisaillement (fig. 17) tel qu'il peut se produire lors d'une chute sur le rebord d'une marche d'escalier ou d'un trottoir. Un mécanisme de flexion peut dans certains cas également être invoqué.

Quant à la fracture du bec de la grande apophyse, elle est en règle due à un mouvement violent en flexion plantaire — adduction déterminant une traction sur le ligament en Y de l'articulation de Chopart, qui rompt ce dernier ou arrache le fragment osseux.

A ces mécanismes relativement simples à l'origine des fractures parcellaires s'oppose celui plus complexe, responsable des fractures thalamiques et périthalamiques. Palmer [211] a élaboré une théorie cohérente reprise par Duparc [87]; nous nous référons à leurs travaux. Bien que ne cernant pas le problème en totalité et que les hypothèses avancées devraient être vérifiées par

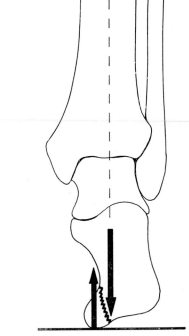

Fig. 46.

Mécanisme par cisaillement
des fractures du tubercule postéro-interne.

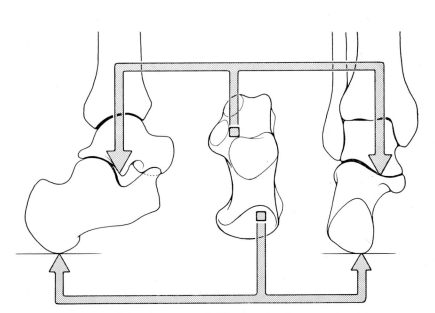

Fig. 47. — *Mécanisme par cisaillement des fractures-séparations*
thalamique et périthalamique. Schéma montrant le décalage
des points d'appui des forces (d'après Palmer et Duparc).

l'expérimentation, cette théorie aide en effet puissamment à la compréhension de ces fractures.

Elle fait intervenir les notions de cisaillement et de compression et elle tente de décrire l'enchaînement des événements qui aboutissent à la fracture séparation-enfoncement.

Le *cisaillement* découle du décalage des points d'application des forces auxquelles est soumis l'os au moment de la chute : poids du corps d'une part, transmises selon l'axe anatomique du membre inférieur et aboutissant sur la petite apophyse au voisinage du sinus transverse du tarse, résistance du sol d'autre part qui s'exerce au niveau de la grosse tubérosité en arrière et en dehors. Ce décalage est donc double dans le plan frontal entre sustentaculum tali en dedans et grosse tubérosité en dehors et antéro-postérieur entre axe de la jambe et coque talonnière (fig. 47). Il en découle le trait de fracture sagittal de séparation oblique de dedans en dehors et d'arrière en avant déterminant la formation du fragment antéro-interne et postéro-externe.

Cisaillement → trait de fracture séparation sagittal.

La *compression* prend le relais lorsque la force du traumatisme n'est pas épuisée et elle va s'exercer essentiellement sur la portion thalamique de l'os. En effet, ce dernier se trouve écrasé entre l'astragale et le sol alors que le fragment antéro-interne solidaire de l'astragale par le ligament inter-osseux va échapper à l'écrasement en raison de sa disposition en surplomb.

Compression → lésions d'enfoncement.

L'enfoncement de tout ou partie du thalamus constituant le fragment corticothalamique se produirait le plus souvent, le talon étant en position de supination par un mécanisme de flexion compression déterminant une fracture externe et un tassement interne (fig. 48, A). Une fois l'effet du traumatisme épuisé le bloc postéro-externe divisé en deux fragments impactés exécuterait un mouvement de sonnette en pronation qui ferait apparaître le diastasis astragalo-calcanéen (fig. 48, B).

Les clichés rétrotibiaux montrent en effet dans certains cas cet aspect des lésions avec le fragment thalamique basculé regardant vers le haut et le dedans, le varus de la grosse tubérosité et l'incongruence astragalocalcanéenne.

Par ailleurs le sens de l'enfoncement horizontal ou vertical serait déterminé par la position du pied en flexion dorsale ou plantaire au moment de la chute. La flexion dorsale portant le poids du corps vers l'avant, localise le choc astragalien sur la partie antéro-inférieure du thalamus qui s'enfonce verticalement « en piquant du nez » (fig. 49, A). A l'opposé la flexion plantaire fera porter le heurt sur la portion postérosupérieure du thalamus et conditionnera un enfoncement horizontal (fig. 49, B).

Cette théorie très cohérente rend compte de la genèse d'un certain nombre de fractures thalamiques du calcanéum. Elle devrait être complétée par l'analyse des différentes variantes possibles : chute en pronation, pied à plat, chacune de ces éventualités pouvant survenir cou-de-pied à angle droit ou en flexion dorsale ou plantaire.

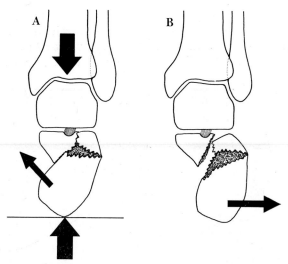

FIG. 48. — *Schéma du mécanisme d'enfoncement* (selon PALMER).

A. Fracture-flexion de la corticale externe, tassement interne et varus-
supination de la grosse tubérosité.

B. Mouvement de sonnette en pronation faisant apparaître le diastasis
astragalo-calcanéen.

Ce schéma est passible d'une critique fondamentale : il est faux sur
le plan anatomique, le calcanéum n'ayant pas cette forme sur une
coupe verticale frontale passant par le cou-de-pied (cf. Tomographies
verticales, fig. 14).

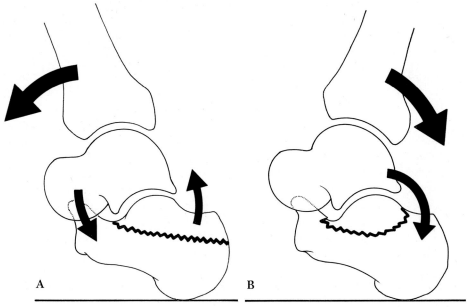

FIG. 49.

A. Mécanisme de l'enfoncement vertical. *B*. Mécanisme de l'enfoncement horizontal.

Par ailleurs elle ne fait aucune place aux mécanismes de flexion qui interviennent dans la genèse des fractures séparation à trait transversal et dans les grands écrasements en tampon buvard avec rupture de la corticale plantaire et ascension des deux extrémités postérieure et antérieure de l'os (fig. 50).

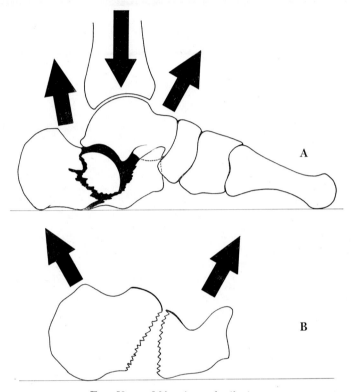

FIG. 50. — *Mécanisme de flexion.*
A. Des grands écrasements.
B. Des fractures-séparations à trait transversal.

Reste le mécanisme des fractures luxations (fig. 44) parfaitement décrit par les auteurs qui se sont occupé de cette question. Il s'agit en règle d'une chute de faible hauteur, le pied étant en supination forcée. De ce fait le fragment postéro-externe échappera à l'écrasement par le pilon astragalien en se luxant vers le haut et le dehors après avoir rompu les ligaments externes péronéo et astragalo-calcanéens, parfois les ligaments postérieurs, le court péronier latéral et le ligament péronéo-astragalien antérieur. Au niveau de la médiotarsienne seuls les ligaments calcanéo-cuboïdiens supérieur et externe sont lésés, le ligament en haie très résistant ne cède pas ce qui détermine la localisation du trait de fracture séparation.

Selon la violence du traumatisme la malléole externe peut être fracturée et le tubercule postéro-externe de l'astragale arraché.

ÉTIOLOGIE

Toute *chute d'un lieu élevé* de plus de 50 cm peut produire une fracture du calcanéum. La grande fréquence des accidents du travail (71 % selon Deburge) [67] surtout chez les ouvriers du bâtiment, met en relief la notion de professions exposées à la fracture du calcanéum : couvreurs, charpentiers, terrassiers mais aussi élagueurs, bûcherons et tous ceux qui travaillent sur des échafaudages ou des échelles, voire des marins. La chute d'ascenseur n'est pas exceptionnelle. Les fractures lors d'une défénestration (tentative d'autolyse, etc.) sont fréquentes. Quant à la projection de bas en haut, elle survient essentiellement lors des explosions de mine ou de torpillages de bateaux. Ce mécanisme indirect des fractures thalamiques avait déjà été souligné par Boppe et Paitre [210] dans leur rapport.

Il faut souligner la rareté de la fracture de l'athlète par saut volontaire, la rareté de cette fracture chez le militaire, en particulier chez le parachutiste qui apprend à se réceptionner. Par contre il faut remarquer la fréquence des fractures thalamiques chez la femme âgée pour des chutes peu élevées.

La fracture de fatigue a été publiée chez l'enfant neurologique. Les militaires à l'heure actuelle ont de nombreuses observations de fractures de fatigue. Nous n'avons pas retrouvé de fracture pathologique du calcanéum.

Particulières sont les causes des fractures de la grosse tubérosité. Elles peuvent être secondaires à un traumatisme direct. La fracture par arrachement survient sur un talon fixé retenu par le bord d'une marche d'escalier ou par une chute sur la pointe du pied avec projection brusque du corps en avant, voire par contracture violente et brusque du tendon d'Achille chez une femme âgée.

La fracture isolée du bec de la grande apophyse survient par torsion du pied ou chute en adduction flexion plantaire et supination.

Les fractures ouvertes sont rares, 4 % selon Deburge, 1 % selon Nade.

Quant aux fractures ouvertes par coup de feu, elles sont exceptionnelles sauf en cas de guerre.

La fracture du calcanéum est une fracture de l'homme sauf la fracture luxation type 2 plus fréquente chez la femme, notion déjà soulignée par Destot : 85 % d'hommes. Selon Nade Monahan : 84 % [204], selon Deburge, Nordin, Taussig : 92 % [67], selon Apoil, Monet : 83 % [199].

Les fractures du calcanéum sont rares avant dix ans, le décollement épiphysaire survient entre dix et quinze ans. La fracture du calcanéum est une fracture survenant le plus souvent dans la vie active, entre 30 et 60 ans.

Il n'y a pas de différence significative entre le côté gauche et le côté droit.

Les fractures sont bilatérales dans 8,5 % selon Nade, Monahan [204], 12,5 % selon Deburge [67], 14 % selon Broockmuller [40].

Les lésions associées sont très fréquentes : 9 % selon Widen [269], 15 % selon Forster [99], 15 % selon Gollash [113], 18 % selon Apoil [199], 20 % selon Deburge [67], 28 % selon Nade Monahan [204].

Parmi ces lésions il faut relever plus particulièrement :
— la fracture du rachis qui est estimée de 3 à 10 %, sa recherche clinique et radiographique doit être systématique;
— les lésions des autres os du pied qui peuvent être associées en particulier astragale, cuboïde, styloïde du 5ᵉ métatarsien;
— lésions de la tibiotarsienne et fracture de la malléole externe dans les fractures luxations;
— les lésions étagées du membre inférieur sont assez fréquentes (polyfractures).

EXAMEN CLINIQUE

L'interrogatoire fera préciser les facteurs étiologiques, la douleur immédiate, l'impotence fonctionnelle. Au moment de l'examen, la douleur est parfois vive, parfois impression de tenaille avec engourdissement à maximum sous malléolaire externe. L'impotence fonctionnelle est variable, soit complète, le blessé ne peut poser le pied au sol; soit plus discrète, le blessé a même pu reprendre la marche, difficilement en appuyant sur l'avant-pied.

En dehors de l'examen des polytraumatisés ou des polyfracturés des membres, l'examen d'une fracture du calcanéum se fera le blessé à genoux, ou couché sur le ventre les pieds dépassant le bord de la table de manière comparative avec le côté sain.

Dès l'inspection on apprécie les parties molles; on recherche une plaie minime, une menace de sphacèle, le plus souvent interne sous-malléolaire au contact du fragment antéro-interne. L'ouverture est rare, le fragment antéro-interne peut perforer la peau de dedans en dehors.

Le gonflement est diffus mais à prédominance postérieure, effaçant les dépressions latéro-achilléennes. En cas de fracture avec enfoncement thalamique l'élargissement de l'arrière-pied est important. Le talon paraît raccourci. Il faut noter le valgus ou le varus en mesurant l'angulation entre le tendon d'Achille et le milieu du talon qui sont normalement sur une même ligne droite. Les malléoles sont abaissées. On mesurera au compas la distance de leur pointe à la plante surtout l'externe. La voûte plantaire est affaissée.

On recherchera les ecchymoses sous-malléolaires externe et interne ainsi que l'ecchymose plantaire nummulaire (signe de Mondor) qui est précoce, localisée au creux de la voûte, extensive, d'arrière en avant, de dedans en dehors. Elle diffuse vers les orteils, formant une ecchymose digitoplantaire en languettes.

Le diagnostic de la fracture de l'angle postérosupérieur de la grosse tubérosité est avant tout un diagnostic d'inspection devant une saillie postérieure sus-et rétro-talonnière avec impotence fonctionnelle complète plus ou moins douloureuse. L'ecchymose est postérieure, remontant à la face postérieure du mollet. Lorsque le fragment est fortement déplacé, la peau est pâle et tendue sur l'arête osseuse avec risque de nécrose.

La fracture totale de la grosse tubérosité déplacée entraîne son ascension, le relâchement du tendon d'Achille et une ecchymose remontant sur le mollet. La radiographie précisera l'importance du déplacement.

La fracture du bec de la grande apophyse est suspectée devant un tableau d'entorse de la médio-tarsienne avec douleur externe, tuméfaction dorsale externe du Chopart, douleur entre la pointe de la malléole externe et la styloïde du 5e métatarsien. En fait, le diagnostic ne peut être fait que par la radiographie. Les circonstances étiologiques particulières doivent la faire soupçonner.

La palpation recherche les points douloureux sous-malléolaires prédominant sur la face externe du calcanéum juste en arrière de la malléole péronière. L'élargissement du talon se mesure au pied à coulisse; il est dû aux parties molles œdémato-hémorragiques et aux saillies externe et interne des faces latérales du calcanéum éclaté : c'est le classique dédoublement des malléoles surtout net en dehors. Quant aux malléoles, elles sont normales, sans augmentation de diamètre sauf en cas de lésion de la cheville associée. Le diagnostic de fracture du calcanéum est le plus souvent évoqué sur l'examen clinique et sur la notion de chute d'un lieu élevé, après avoir éliminé une lésion de la cheville. L'examen des pouls et de la sensibilité permet d'éliminer une lésion vasculo-nerveuse qui est exceptionnelle sauf chez l'enfant, dans les lésions par écrasement et par pied de mine. Par ailleurs il faut rechercher une éventuelle artérite, un diabète, une affection neurologique.

Tout traumatisme de l'arrière-pied impose des radiographies qui permettront de préciser la variété de fracture, ou de découvrir une fracture méconnue à l'examen clinique.

ÉVOLUTION. COMPLICATIONS. SÉQUELLES

Quel que soit leur type, les fractures du calcanéum ne posent guère de problèmes de consolidation. Les *troubles de la consolidation, retard* et *pseudarthrose* ainsi que la *nécrose,* sont presque inexistants. Les *cals vicieux* au contraire, sont fréquents; variables suivant le type de fracture, ils ont pour particularité, en cas de fracture thalamique avec séparation - enfoncement, de retentir globalement sur la statique et la position du pied sous forme d'un *pied plat post-traumatique.*

Les fractures thalamiques sont responsables d'une complication-séquelle spécifique : l'*arthrose sous-astragalienne* en règle douloureuse et enraidissante.

Tous les types de fractures du calcanéum présentent volontiers des *troubles trophiques* et *ostéoporotiques* qui peuvent aller dans une proportion non négligeable de cas jusqu'à l'*algodystrophie post-traumatique.*

Il est important de souligner que la notion d'arthrose et d'ostéoporose n'est pas obligatoirement liée à l'existence d'un cal vicieux ou d'un pied déformé. Ces deux complications peuvent survenir sur fracture pas ou peu déplacée ou correctement réduite.

Enfin l'*ostéite du calcanéum* particulièrement redoutable, peut être la rançon d'une fracture ouverte ou d'un traitement orthopédique ou chirurgical.

La consolidation. — Elle est en règle acquise dans des délais de six à huit semaines pour ces fractures en os spongieux, bien vascularisé. Il y a peu de déplacements secondaires, l'enfoncement étant d'emblée maximum. Ce fait n'a d'ailleurs pas assez été exploité par les partisans du traitement exclusivement fonctionnel qui pourraient mettre en charge très précocement la plupart de leurs patients. Sur fracture réduite le problème est bien entendu tout différent, une mise en charge trop précoce ou mal contrôlée conduisant inéluctablement au tassement secondaire.

Les troubles de la consolidation. — Retard de consolidation et pseudarthrose sont tout à fait exceptionnels. Seules les fractures de l'angle postéro-supérieur fortement déplacées et non traitées peuvent évoluer vers la non consolidation. Pour les fractures thalamiques nous n'en avons observé dans notre pratique qu'un seul cas, indiscutable, qui fut une découverte opératoire.

Les nécroses osseuses. — Contrairement à l'astragale, le calcanéum richement vascularisé, ne se nécrose qu'exceptionnellement. Chanzy [54] en retrouve six cas dans sa thèse. Duparc nous a montré une très belle observation d'une nécrose complète du fragment thalamique. Nous en avons observé quatre cas indiscutables sous forme de zones condensées persistantes.

L'ouverture. — Elle constitue au calcanéum plus que partout ailleurs un important facteur aggravant. D'une part en raison de la gravité particulière de l'infection osseuse dont les caractéristiques seront évoquées par ailleurs. La spécificité de la peau talonnière explique d'autre part les graves problèmes de cicatrisation et de couverture cutanée qui peuvent se poser à ce niveau. Retard de cicatrisation, désunions, nécroses plus ou moins étendues seront les complications fréquentes des fractures ouvertes.

Les cals vicieux. Le pied « plat » post-traumatique. — L'étude des petites incongruences thalamiques résiduelles après réduction sera faite au chapitre de l'arthrose dont elles sont en partie responsables.

Seuls seront étudiés les cals vicieux caractéristiques secondaires à une fracture déplacée mal ou non réduite.

Nous distinguerons :

— les saillies isolées;
— les cals vicieux sur fracture de type II;
— les cals vicieux sur fracture enfoncement type 3 et 4 et fractures comminutives qui se compliquent en règle de troubles statiques du pied qualifiés classiquement de « pied plat traumatique ».

a) Les saillies isolées sont consécutives à une fracture parcellaire ou font partie d'un cal vicieux « global » dont ils représentent l'aspect le plus « saillant » et le plus gênant.

1. Le *cal vicieux ou saillie postérosupérieure* est consécutif à une fracture parcellaire de l'angle postéro-supérieur ou soufflet non réduit d'une frac-

ture type 3 ou 4 avec enfoncement vertical. Il produit une déformation du talon dont la hauteur exagérée avec saillie postérieure entraîne un conflit avec la chaussure (fig. 51).

2. La saillie sous-malléolaire externe est le stigmate de la consolidation vicieuse de la « soufflure corticale » externe. Les auteurs américains (Magnuson Treffmann [180], Cotton, lui attribuent une grande impor-

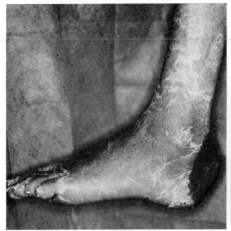

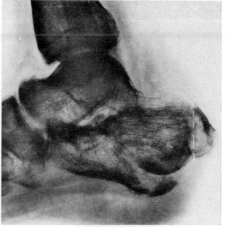

a

b

Fig. 51.

Cal vicieux : saillie postéro-supérieure. Résection.

a) Photo. *b)* Radiographie pré-opératoire. *c)* Radiographie après résection.

c

tance et la rendent responsables d'un syndrome douloureux (typ syndrom) par conflit avec la malléole externe. Nous n'avons jamais constaté ce syndrome, probablement parce que nous réduisons toutes nos fractures enfoncées.

3. Quant aux saillies plantaires témoins de la consolidation vicieuse d'une fracture parcellaire du tubercule postéro-interne ou de l'effondrement plantaire d'une fracture type 4 ou comminutive, elles n'ont qu'une traduction radiologique et elles sont en règle très bien tolérées sur le plan clinique car elles sont bien protégées par la coque talonnière.

b) **Les fractures luxations** de type 2 négligées sont responsables de très vilains cals vicieux qui entraînent une gêne fonctionnelle majeure. Ils se caractérisent par un élargissement considérable du talon avec importante saillie sous-malléolaire externe, luxation sous-astragalienne postérieure et calcanéo-cuboïdienne invétérée (fig. 52). Sur le plan fonctionnel la limitation de la flexion dorsale et plantaire tibio-tarsienne est en quelque sorte pathognomonique de ce cal vicieux plus mal toléré que celui consécutif aux fractures séparation enfoncement.

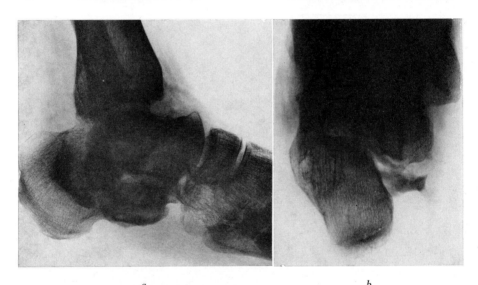

a   b

Fig. 52. — *Cal vicieux sur fracture-luxation type 2.*
Radiographie : *a)* de profil; *b)* axiale.

c) **L'étude des cals vicieux** sur fractures enfoncement et de leur retentissement statique sur tout l'arrière-pied sous forme d'un « pied plat traumatique » peut être regroupée. Judet et de la Caffinière [48] insistent sur la distinction entre *cal vicieux thalamique* et *cal vicieux calcanéen* (fig. 53). Le premier qui n'intéresserait que le thalamus serait consécutif aux fractures type 3, 1er et 2e degré négligées. Le second qui succéderait en règle aux fractures type 4 ou aux fractures comminutives, comporterait en plus une composante tubérositaire.

Que l'enfoncement soit horizontal ou vertical, l'incongruence articulaire fixée qui en découle, retentira sur l'astragale qui en s'encastrant dans le calcanéum, s'horizontalisera en talus et sur l'astragalo-scaphoïdienne, la tête de l'astragale basculant vers le haut entraîne une disjonction de cette articulation. Le cuboïde suit en règle ce mouvement vers le bas, déterminant ainsi une subluxation de tout le Chopart. Il en résultera une diminution de l'amplitude de la flexion plantaire dans la tibio-tarsienne et un blocage du couple de torsion.

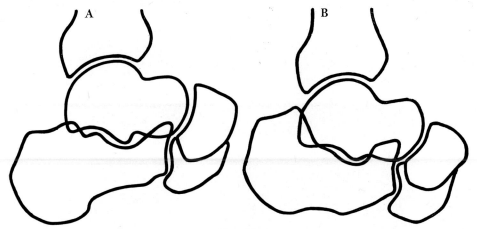

FIG. 53.

A. Cal vicieux thalamique. *B.* Cal vicieux calcanéen (d'après R. JUDET).

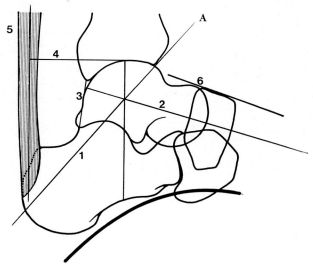

FIG. 54. — *Désordres engendrés par le pied plat post-traumatique. Comparaison.*

A. Pied normal. *B.* Pied pathologique (d'après R. JUDET). *1,* écrasement du calcanéum; *2,* horizontalisation de l'astragale; *3,* effet d'arthrorise postérieure; *4,* diminution du bras de levier musculaire; *5,* relâchement du tendon d'Achille; *6,* disjonction astragalo-scaphoïdienne.

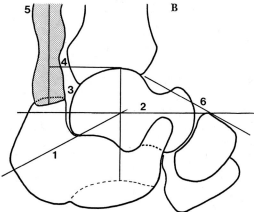

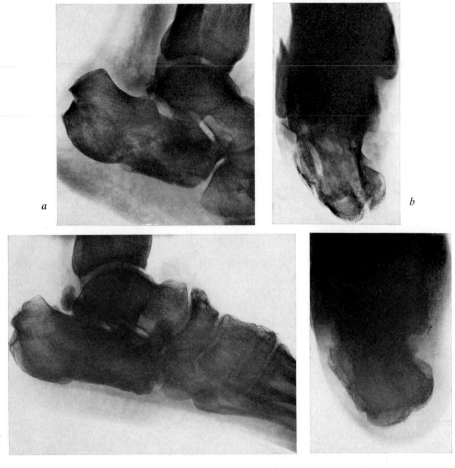

FIG. 55. — *Cal vicieux calcanéen. Pied plat post-traumatique.*

A. Radiographie : *a)* profil; *b)* axial (20-10-1969).
B. Radiographie : *c)* profil; *d)* axial (17-6-1977).

L'ascension de la grosse tubérosité déplacera la saillie d'appui du talon de l'angle postéro-inférieur au sommet de l'angle du « tampon buvard » avec développement éventuel de durillons et d'hyperkératose à ce niveau. Elle sera en plus responsable d'une diminution du bras de levier du tendon d'Achille dont le tendon se relâche et d'un effet d'arthrorise postérieure (fig. 54). Il en résulte une atrophie du triceps, une limitation de la flexion plantaire, ces sujets étant incapables de se tenir sur la pointe du pied. S'ajoutent enfin les déviations axiales du talon surtout en varus entraînant des troubles de l'appui mal tolérés.

Ce pied plat traumatique (fig. 55) est donc bien différent du pied plat valgus d'origine statique qui est caractérisé par une verticalisation de l'astragale dont la tête pique du nez en bas et en dedans avec effondrement de la voûte plantaire interne et valgus du talon.

Troubles trophiques, ostéoporose, algodystrophie et arthrose post-traumatique. — Les troubles trophiques, l'ostéoporose, les algodystrophies et l'arthrose post-traumatique qui viennent grever l'évolution de bon nombre de fractures du calcanéum sont les vrais responsables des résultats souvent décevants du traitement de ces fractures. Comment expliquer sinon par leur survenue quel que soit le type de fracture et à des degrés variables quelle que soit la méthode thérapeutique employée, la non-concordance si fréquente tout au moins à court ou moyen terme, entre la qualité d'une reconstruction anatomique et la qualité du résultat subjectif et fonctionnel.

Les troubles trophiques et l'ostéoporose. — Ils sont extrêmement fréquents et vont le plus souvent de pair. Fort heureusement ils régressent pour la plupart progressivement entre trois à six mois. L'étude de nos cas montre que ces troubles sont indiscutablement favorisés par le traitement chirurgical et par le non-appui prolongé. Ils se caractérisent dans les formes graves :

— par l'œdème important, d'abord mou, prenant le godet, puis devenant dur, s'étendant à tout le pied, remontant à mi-mollet souvent jusqu'au genou;
— la cyanose augmentant en position déclive, avec parfois semis de pétéchies et évolution ultérieure vers la dermite ocre pigmentaire;
— les troubles des phanères : ongles cassants, hypersudation ou peau sèche avec desquamation, chute des poils ou hirsutisme;
— parfois troubles plus graves à type de dermite ou d'eczématisation voire même ulcération qui seront alors en rapport avec un terrain particulièrement déficient ou avec des négligences de traitement;
— l'ostéoporose est constante, visible à la radiographie dès la 3e semaine, s'étendant à tous les os du cou-de-pied et du pied et d'aspect très variée : images mouchetées, pommelées, floconneuses, en mie de pain, aspect lavé, marbré (fig. 56 a);
— l'enraidissement articulaire diffus de toutes les articulations du cou-de-pied, du pied, des orteils, accompagne habituellement ce tableau ainsi que :
— l'amyotrophie qui frappe les muscles du mollet et les petits muscles du pied. Elle est longtemps masquée par l'œdème;
— l'endolorissement est diffus et d'intensité modérée.

Dans les formes simples ce syndrome n'est qu'ébauché; il est lentement régressif laissant pour séquelles quasi constantes un certain degré de fibrose péri-osseuse résiduelle épaississant les contours latéraux du talon, effaçant partiellement le relief des gouttières rétromalléolaires ainsi qu'une pigmentation ocre ou brune des téguments. L'appui précoce ainsi que la rééducation fonctionnelle peuvent en grande partie prévenir l'éclosion de ce syndrome et hâter sa résolution.

Dans un certain nombre de cas, se constitue un véritable syndrome algodystrophique très douloureux, très enraidissant avec ostéoporose majeure. L'évolution ne sera jamais totalement régressive. L'os gardera un aspect peigné (fig. 56 b), vitrifié, « os de verre », les articulations resteront raides, avec capsule, ligaments, synoviale fibrosés et rétractés. L'origine vasomotrice est évoquée, le terrain neurotonique quasi constant. Il n'existe pas de prévention de ce syndrome. La physiothérapie doit être très douce, prudente. Le traitement médicamenteux le plus efficace serait le Calcitar 160 U.I.M./ Jour/10 jours, puis 3 × sem./3 semaines.

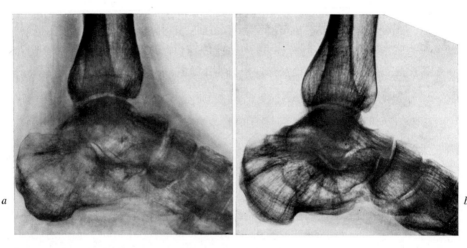

a

b

FIG. 56. — *Ostéoporose sur fracture type 3 1er degré vertical traitée orthopédiquement.*
a) Radiographie profil 3e mois : ostéoporose mouchetée.
b) Radiographie profil à 5 ans : aspect peigné résiduel.

L'arthrose post-traumatique. — D'installation précoce et progressive, au cours des mois et des années, qui suivent la fracture, elle est la rançon non seulement des grands cals vicieux consécutifs à des fractures graves non réduites et peut siéger dans ces cas au niveau de plusieurs articulations de l'arrière-pied mais aussi de toutes les incongruences articulaires mineures au niveau de la sous-astragalienne postérieure après fractures peu déplacées, ou insuffisamment réduites ou compliquées de lésions cartilagineuses irréversibles. Les méthodes orthopédiques en seront donc les grandes pourvoyeuses mais la réduction sanglante avec ostéosynthèse n'empêchera pas toujours sa survenue. Seule l'arthrodèse pourra prévenir ou enrayer radicalement son évolution.

Les maître-symptômes sont la douleur et l'impotence fonctionnelle. Douleur de type mécanique, à la station debout, à la marche, exacerbée par la déambulation sur terrain inégal. Elle est d'intensité variable, parfois vive et gênante; son siège électif est sous malléolaire externe mais certains malades la décrivent plus diffuse, occupant les faces externe, interne et plantaire du talon, irradiant au cou-de-pied ou à l'avant-pied. Le handicap à la marche peut être marqué avec mauvais déroulement du pas, escamotage de l'appui, réduction du périmètre de marche. L'examen clinique permet de constater l'existence d'une douleur à la pression de la région sous-malléolaire externe et d'un enraidissement douloureux de l'articulation sous-astragalienne dont la mobilité est recherchée de préférence sur malade en décubitus ventral, genou relâché, une main empaumant la cheville, l'autre le talon qui est porté alternativement en dedans et en dehors.

La radiographie de profil suffit en règle pour détecter les signes classiques : pincement ou irrégularité de l'interligne, ostéophytose souvent discrète et discernable seulement au niveau du pôle postérieur de l'interligne, irrégularité de l'os avec zone de condensation ou petites géodes (fig. 57).

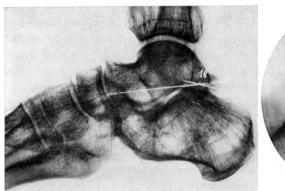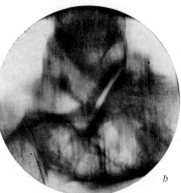

FIG. 57. — *Arthrose sous-astragalienne sur fracture type 3 vertical*
1er degré traitée par ostéosynthèse.

a) radiographie et *b)* tomographie de profil, montrant le pincement de l'interligne, la condensation osseuse et l'ostéophytose postérieure.

Seule la douleur constitue un handicap gênant, l'enraidissement isolé étant en règle bien compensé par les autres articulations du pied.

L'évolution de cette arthrose est heureusement assez souvent très lentement régressive. Au bout de deux à trois ans l'enraidissement quasi complet de l'articulation avec parfois fusion osseuse spontanée partielle ou totale de l'interligne conduit sinon à une disparition totale des douleurs pour le moins à une intensité très supportable. Une semelle sur mesure en matériau souple aidera à cette adaptation. L'arthrodèse secondaire tardive apportera un soulagement aux cas irréductibles.

L'ostéite du calcanéum. — L'ostéite du calcanéum est une complication très redoutable des fractures ouvertes du calcanéum, des réductions orthopédiques par broches noyées dans le plâtre et du traitement chirurgical.

Avec Martini [183] nous distinguerons :

— l'ostéite localisée, l'atteinte ne dépassant pas 2 cm de diamètre; le type en est l'ostéite sur broche;

— l'ostéite partielle occupant une portion de l'os mais pas sa totalité et respectant le thalamus. Elle peut se produire sur fracture extra-thalamique ouverte ou opérée (fig. 73);
— l'ostéite totale englobant le thalamus sur fracture articulaire ouverte ou traitée chirurgicalement.

Le staphylocoque est le germe le plus fréquemment retrouvé mais d'autres germes : aérobies ou anaérobies peuvent être en cause.

Les deux premières formes sont de gravité moindre et se traduiront par une fistule chronique plus ou moins abondante.

La forme totale est d'une gravité redoutable. Après une phase aiguë marquée par des signes majeurs au niveau du talon qui est énorme, rouge, tuméfié, suintant, les lésions passent à la chronicité et peuvent aboutir à la séquestration et à l'élimination progressive de la totalité de l'os. Les troubles trophiques, l'enraidissement et l'ostéoporose de tout le pied sont majeurs.

La guérison au prix d'interventions mutilatrices, laissera de graves séquelles.

3

ÉTUDE THÉRAPEUTIQUE

I. — LES MÉTHODES : PRINCIPES ET TECHNIQUES

TRAITEMENT FONCTIONNEL

C'est une thérapeutique exclusivement fonctionnelle excluant toute manœuvre de réduction et toute contention plâtrée.

Lucas Championnière semble être l'ancêtre, tout au moins français, de la méthode. Dès 1947 Roberts et Sayle Creer [225] préconisent en Angleterre le traitement fonctionnel des fractures thalamiques. En 1952 Essex Lopresti [92] fait état de 70 fractures du calcanéum sans déplacement chez des blessés de plus de 50 ans traités par la méthode fonctionnelle avec 80 % de reprise de travail. En 1955, Barnard [23] aux Etats-Unis, propose comme traitement des fractures du calcanéum, une méthode « fonctionnelle » de rééducation sans plâtre : repos au lit, avec le pied surélevé entouré de vessies de glace, le lendemain mobilisation précoce, cinq minutes par heure, des articulations du pied. Au dixième jour, lever sans appui. A la sixième semaine, appui dans une chaussure montante, le pied à 45° d'équin.

En France c'est à Dautry et Gosset [66] puis presque simultanément à Meary [100] et à l'école de Merle d'Aubigné que l'on doit la codification d'un traitement basé essentiellement sur la rééducation fonctionnelle précoce. A son arrivée à l'hôpital le blessé est mis au repos au lit strict, jambe surélevée, vessie de glace, avec prescription d'un traitement médicamenteux anti-œdémateux. Dès le lendemain, mobilisation passive de la tibio-tarsienne, de la médio-tarsienne et de la sous-astragalienne puis mobilisation active. La mobilisation active précoce des articulations du pied, et, en particulier de la médio-tarsienne vise à rétablir un couple de torsion limité dans la sous-astragalienne lésée par le traumatisme. La contraction des péroniers latéraux, des fléchisseurs et du triceps évite l'amyotrophie et les adhérences tendineuses.

Au bout de quinze jours une semelle en latex moulé et des chaussures montantes type Pataugas, permettent au blessé de poser le pied au sol, sans appui et de mobiliser activement le pied posé sur le sol. Au 45ᵉ jour, l'appui et la marche sont autorisés sous couvert de bandage élastique. La semelle orthopédique doit être conservée de douze à dix-huit mois. Tel est le traitement mis au point par Dautry dans le service de J. Gosset depuis 1961.

R. Meary propose le même objectif et des moyens analogues lorsqu'il déclare « renoncer à toute réduction, à toute immobilisation. Il faut laisser le foyer se consolider tel qu'il est, par simple mise en décharge, en mobilisant précocement les articulations du pied ».

Weber, du Centre Hélio Marin de Berck, dans la thèse de son élève Moussaoui [202] rapporte un perfectionnement très intéressant de la méthode en la complétant par l'appui précoce.

Cette mise en charge est réalisée en trois phases « encadrées » par un programme complet de rééducation.

— Première phase : mobilisation active quinze minutes deux fois par jour; à partir du 8ᵉ-10ᵉ jour : pédalage déclive sur pédalier; entre les exercices : pied surélevé et glace. Cette première phase dure trois semaines.

— Deuxième phase : au 21ᵉ jour le pied est souple, sec, indolore, l'appui est décidé avec une semelle orthopédique de 6 cm d'équin pour reporter l'appui sur l'avant-pied, dans une chaussure type basket. La marche doit se faire sans cannes, sans bandage, pour éviter les syndromes algodystrophiques. Chaque semaine si le pied reste souple, froid, indolore, on supprime 1 cm d'équin.

— Troisième phase : à la 8ᵉ semaine, mise en appui complet avec une semelle de 1 à 2 cm avec entraînement à l'effort et réadaptation à la vie professionnelle durant six à huit semaines, soit plus de trois mois de traitement hospitalier en centre spécialisé.

Ce traitement à visée fonctionnelle sans manœuvres de réduction a été largement adopté par de nombreux orthopédistes du monde entier, rebutés par les difficultés et les aléas des réductions orthopédiques ou chirurgicales. Tous les adeptes de cette méthode, se défendent énergiquement de l'accusation d'abstention thérapeutique.

LES MÉTHODES ORTHOPÉDIQUES

Elles sont extrêmement nombreuses, témoignant de la difficulté de l'entreprise. L'amusant recensement illustré de Goff (fig. 1) rapporté par Belenger fait état de 42 méthodes dont 16 orthopédiques plus ou moins agressives et il ne peut être considéré comme exhaustif !

Seules méritent d'être étudiées à l'heure actuelle :

— l'immobilisation plâtrée sans réduction par botte plâtrée classique ou par plâtre à chambre talonnière libre dérivé de Graffin;
— la réduction orthopédique par traction sur broche transcalcanéenne selon Boehler éventuellement complétée par l'introduction d'un poinçon selon Westhues ou Gosset;

— à la frontière entre chirurgie et orthopédie la réduction enclouage à foyer fermé (R.E.F.F.) de Decoulx.

L'immobilisation plâtrée sans réduction. — **Le plâtre simple.** — Il s'agit en règle d'une botte plâtrée matelassée ou non matelassée et fendue en urgence, relayée par un plâtre circulaire après huit-dix jours.

Pour certains le plâtre doit être cruropédieux, genou fléchi à 25-30° pour relâcher le triceps sural.

Le plâtre à chambre talonnière de Graffin. — Son auteur le confectionnait en plâtrant le talon rembourré par un très gros paquet de coton; puis par une petite fenêtre latérale, il retirait ce rembourrage.

Pour nous il s'agit d'une botte plâtrée dont la semelle a été fenêtrée sous le talon (fig. 58). Les joues latérales du plâtre évitent les déviations axiales du talon. Grâce à ce plâtre la mise en charge peut être précoce car l'appui est reporté en avant sur la deuxième rangée du tarse.

Sa confection doit obéir à des règles précises. Il faut placer un feutre épais sous la plante du pied en regard du cuboïde qui supportera l'appui. La semelle est fenêtrée réalisant une chambre libre uniquement sous le calcanéum, le reste du talon, c'est-à-dire ses faces latérales et sa face postérieure, étant bien maintenu, pour éviter les déviations axiales. L'appui est reporté en avant du Chopart, protégé par le feutre épais qui évite toute escarre de compression. C'est à ce niveau qu'est placé l'étrier. Ainsi réalisé ce plâtre correspond plus à l'appareil plâtré connu dans les pays germaniques sous le nom de Lochgips de Pitzen qu'à celui vulgarisé par Graffin.

Cette chambre libre pourrait être accusée de favoriser l'œdème; en réalité il n'en est rien grâce aux joues latérales et parce que la structure fibro-adipeuse de la coque talonnière ne permet qu'une infiltration œdémateuse modérée.

Pour nous ce plâtre est l'immobilisation standard des formes non opérées et l'immobilisation post-opératoire des formes réduites ou opérées. Grâce à lui la mise en charge est systématiquement précoce, c'est-à-dire au plus tard le 15e jour. Toutefois nous ne l'utilisons de façon systématique que depuis deux ans ce qui explique que notre statistique n'en fait pas grandement état.

La réduction manuelle ou instrumentale. — Elle vise à rétablir la hauteur du calcanéum et à réduire le déplacement latéral par compression latérale. De nombreuses techniques ont été utilisées soit manuelles (Corry, Mac Farlan), soit instrumentales. Sans être complet, on peut citer l'étau de menuisier (Yergason), l'ostéoclaste de Phelps-Gocht, l'étau de Boehler, le modelage par un coin de Lorenz sous la malléole externe et le procédé de Cotton qui tente de désimpacter le thalamus à coups de maillet frappés sur la face externe du talon refoulé en varus. Ces méthodes ne sont plus employées. Elles sont dangereuses pour la peau malgré les précautions prises, aveugles et traumatisantes pour l'os. De plus elles sont peu efficaces et ne peuvent prétendre désenclaver le bloc thalamique enfoncé. Seul le modelage manuel des faces latérales du calcanéum comprimées entre les deux paumes de main,

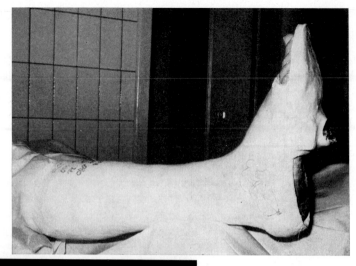

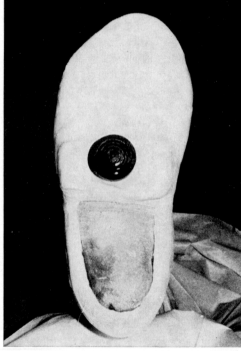

Fig. 58.

*Plâtre à chambre talonnière libre
dérivé du plâtre de Graffin.*

est encore employé comme complément d'une autre technique mais jamais isolément.

La réduction orthopédique par broche de traction et par poinçon selon Boehler Westhues Gosset. — Boehler [34] a consacré dans son monumental traité de technique de traitement des fractures (édition 1957) quelques pages intéressantes à l'évolution de ses conceptions sur la réduction orthopédique des fractures thalamiques du calcanéum. L'aboutissement de cette longue maturation basée sur une expérience exceptionnelle et des contrôles répétés est la méthode que nous allons décrire en détail à l'exclusion d'autres procédures analogues dans leur principe (triple traction trans-squelettiques de Harris, reprise par Dragonetti, etc.). Elle fait appel à la traction par clou ou broches trans-osseuses complétée dans certains cas par des manœuvres de relèvement au poinçon et à l'immobilisation plâtrée consécutive.

On procède sous anesthésie générale ou péridurale. Le clou ou la broche de traction transosseux est introduit sous repérage radiographique grâce à une grille de visée ou sous contrôle télévisé de façon très précise dans l'angle postéro-supérieur de la grosse tubérosité de l'os. Après solidariation à un étrier, la jambe du blessé est placée dans le cadre de réduction de Boehler (fig. 59). Une contre-traction est exercée grâce à une sangle passée sous l'extrémité inférieure de la jambe immédiatement au-dessus du cou-de-pied. On tire à 6-10 kg d'abord obliquement, vers le bas dans l'axe du calcanéum, puis horizontalement dans l'axe de la jambe. La longueur du calcanéum et les angulations sont ainsi corrigées. Si la réduction du thalamus enfoncé n'est pas suffisante, on la complètera par l'utilisation d'un poinçon comme l'a proposé Westhues en 1934 [266] puis Gosset en 1953 [114]. Le premier enfonçait le clou de Steinmann ou la pointe carrée utilisée comme poinçon par l'arrière, le second par la face externe de l'os. Grâce à des manœuvres de levier, la réduction plus ou moins précise du thalamus enfoncé est obtenue. Les deux auteurs conseillaient alors de noyer le poinçon dans le plâtre durant quatre semaines. Boehler a de la sorte déploré des ostéites graves; nous avons avec notre Maître Stulz fait les mêmes mauvaises expériences. C'est la raison pour laquelle le clou doit être enlevé et remplacé éventuellement par des broches de fixation temporaire enfouis sous les téguments. Puis le blessé est installé sur attelle de Boppe en continuant à tirer à environ 3 kg maximum. Le clou ou la broche de traction sont surveillés quotidiennement et doivent être enlevés d'urgence au moindre signe d'intolérance sinon au bout de huit à dix jours. Un plâtre, genou à 90°, pied en équin, est confectionné pour un mois, le blessé étant autorisé à déambuler sans s'appuyer sur l'appareil plâtré. Au bout de ce délai, cuisse et genou sont libérés et une nouvelle botte plâtrée est mise en place après suppression progressive et prudente de l'équin et contrôle radiographique.

Jusqu'en 1960 environ l'un de nous a pratiqué et vu pratiquer fréquemment cette méthode dans le service de Stulz, le clou à la Westhues étant fiché dans l'astragale puis plâtrage immédiat, broches et clous noyés dans le plâtre (fig. 60). Elle donnait des réductions très valables mais se soldait par des suppurations assez fréquentes. Nous l'avons abandonnée pour des raisons que nous exposerons plus loin. Si nous devions un jour revenir à la réduction orthopédique, c'est le protocole de Boehler et de son école exposé ci-dessus que nous adopterions dans tous ses détails en y ajoutant des précautions d'asepsie draconiennes — en particulier stérilisation du cadre de réduction —

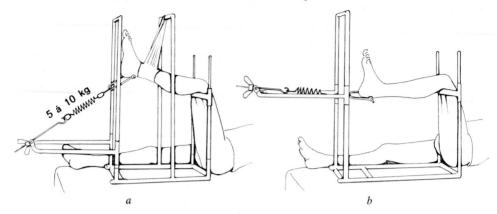

FIG. 59. — *Installation pour réduction orthopédique sur cadre selon Boehler*
(d'après BOEHLER, Traité du traitement des fractures).

a) Traction oblique. *b)* Traction horizontale.

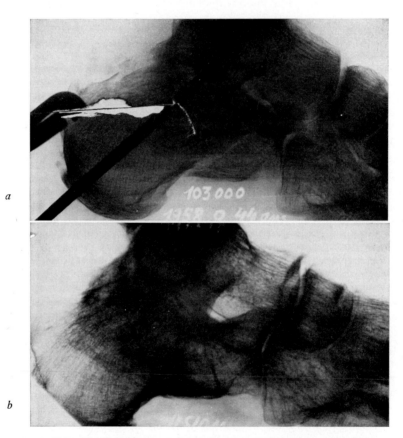

FIG. 60. — *Réduction orthopédique avec broche et poinçon
selon Boehler.*

a) Cliché de réduction. *b)* 14 ans plus tard arthrodèse spontanée.

et en remplaçant la botte plâtrée au deuxième mois par un plâtre type Graffin. C'est donc lui que nous conseillons aux chirurgiens tentés par cette orientation thérapeutique, qui reste d'ailleurs celle de l'école autrichienne actuelle.

Signalons une méthode élaborée de réduction en grand relâchement musculaire : la technique de H. Wendt [265] qui a quelques adeptes dans les pays de langue allemande.

Réduction sous anesthésie générale genou fléchi, à angle aigu, pied en équin forcé pour détendre le triceps au maximum. L'étau calcanéen est appliqué puis plâtre genou à angle droit, pied en équin pour six semaines. Nouveau plâtre genou en extension pied à angle droit pour quatre semaines.

Cette méthode est employée par Wendt depuis vingt ans. Son grand inconfort n'est pas compensé par une amélioration significative des résultats.

RÉDUCTION ENCLOUAGE A FOYER FERMÉ (R.E.F.F.)

En 1975, J. Decoulx [73] a publié les résultats de sa technique de réduction enclouage à foyer fermé employée depuis sept ans à Lille. Dérivant du procédé de poinçon de Westhues, cette méthode se situe à mi-chemin entre l'orthopédie et la chirurgie.

Après un diagnostic précis par tomographies frontales, dans le secteur où le péroné est visible, la réduction doit se faire en urgence ou quelques heures après le traumatisme après avoir surélevé le pied, refroidi par des vessies de glace et pratiqué un traitement anti-œdémateux. Anesthésie générale, décubitus ventral, genou à angle droit, pied au zénith, sous contrôle d'un amplificateur de brillance. Garrot pneumatique. Règles strictes de la chirurgie orthopédique, jersey stérile, introduction latéro-achilléenne externe sous contrôle télévisé d'un clou de Steinmann de quatre mm de diamètre maintenu par une poignée américaine selon un axe postéro-antérieur, descendant vers la plante en cas de bascule de la grosse tubérosité à direction interne dans les enfoncements globaux, à direction externe dans les enfoncements partiels.

Le contact est visuel, auditif, tactile car le clou est enfoncé au marteau. Le pied est porté en équinisme pour rétablir la voûte plantaire. Par une action manuelle antérieure et instrumentale postérieure, on reconstitue la forme du calcanéum et la congruence articulaire sous-astragalienne postérieure. Le clou est alors enfoncé dans le col de l'astragale, l'idéal étant de passer dans le sinus du tarse. Après contrôle sous écran de l'inversion et de l'éversion, le clou de Steinmann est sectionné au ras de la peau. Dans certains cas, un deuxième clou est enfoncé par la face externe. Un modelage manuel diminue l'élargissement du corps.

En post-opératoire méthode fonctionnelle, forte surélévation du pied. Mouvements actifs et passifs de la tibio-tarsienne et de la médio-tarsienne dès le troisième jour. Développement de la force musculaire du triceps, des péroniers, et du jambier postérieur. Le clou est enlevé à la sixième semaine avec appui progressif sous couvert de cannes anglaises.

C'est une technique simple, rapide, quand on en a l'expérience. Elle permet une rééducation précoce avec appui précoce. Elle est cependant délicate et expose aux rayons. La réduction morphologique est souvent valable (fig. 61). Dans les fractures avec rupture de la corticale plantaire, l'absence de traction sur la grosse tubérosité ne permet pas une bonne réduction. L'arthrose de la sous-astragalienne expose aux séquelles douloureuses dans les fractures complexes. Les risques de sepsis par contre, sont réduits au minimum grâce à l'asepsie chirurgicale rigoureuse et à la section du clou qui est enfoncé

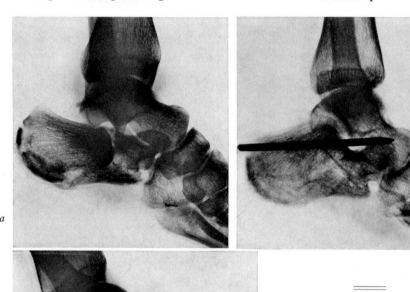

a   *b*

c

Fig. 61.

Réduction enclouage à foyer fermé (R.E.F.F.).
    a) Cliché initial. *b)* Cliché post-réduction. *c)* Cliché terminal à trois mois.

sous la peau. Cette technique semble très séduisante dans les mauvais terrains, diabétiques, artéritiques, dans les fractures ouvertes, dans les fractures non synthésables, trop complexes, pour tenter de redonner une morphologie acceptable du calcanéum.

Le vissage percutané. — Proposé par Merle d'Aubigné et Dubousset [85 *bis*], il s'agit d'une méthode voisine du R.E.F.F. mais qui remplace la fixation au clou du fragment relevé par un vissage percutané.

TRAITEMENT CHIRURGICAL

I. — LES MÉTHODES : PRINCIPES ET TECHNIQUES

Bien que le traitement chirurgical des fractures du calcanéum ne connaisse pas à l'heure actuelle une vogue comparable à celui d'autres fractures, ses principes sont bien définis et ses techniques bien codifiées.

Traitement chirurgical des fractures parcellaires.

Parmi les différentes variétés de fractures parcellaires, seules les fractures de l'angle postérieur supérieur déplacées nécessitent un traitement chirurgical.

L'intervention est pratiquée en décubitus ventral hanche et genou relâchés. L'incision ne doit pas être médiane postérieure en raison des ennuis de

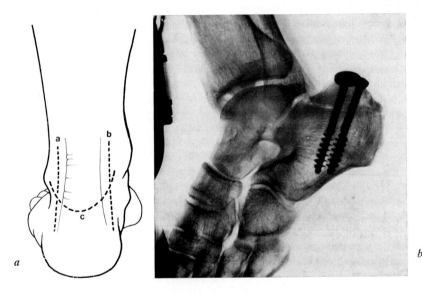

a   *b*

FIG. 62. — *Traitement chirurgical par vissage*
d'une fracture de l'angle postéro-supérieur.
a) Schéma des incisions. *b)* Radiographie.

cicatrisation toujours possibles. On pourra utiliser une voie d'abord verticale latérale simple ou double, ou encore une incision transversale « en gueule de requin » analogue à celle utilisée pour le traitement chirurgical de l'exostose calcanéenne ou maladie de Hagelund (fig. 62 *a*).

Le fragment sera parfaitement réduit lorsqu'il est unique en combinant l'action directe sur le fragment et la mise en équin du pied.

La fixation sera réalisée par une vis à compression autotaraudeuse placée perpendiculairement à la surface de la fracture (fig. 62 b). Il ne faut pas utiliser le cerclage préconisé autrefois mais de pose beaucoup plus ardue sauf peut-être pour les fractures avec comminution se prêtant mal au vissage et pour lesquelles on peut également utiliser le brochage multiple.

Traitement des fractures thalamiques.

Elles posent encore des problèmes imparfaitement ou non résolus.

Les problèmes techniques communs à toutes les méthodes.- a) **Le moment de l'intervention.** — Il mérite d'être discuté en raison des fréquents problèmes de cicatrisation au niveau de la face externe du talon. Il s'agit en effet d'une peau au sous-sol très pauvre, et très souvent le siège de phlyctènes et d'ecchymoses au niveau de laquelle les incisions ne cicatrisent pas toujours de façon parfaite et par première intention. Fréquents sont les petits retards avec désunion suintante minime, plus rares les vraies nécroses des bords de la plaie avec cicatrisation plus lente par seconde intention.

C'est la raison pour laquelle le moment optimum de l'intervention peut être discuté : retardé pour les uns qui pensent qu'après six-sept jours la peau a récupéré une meilleure trophicité. Mais cette attitude comporte le risque d'un report plus prolongé que prévu initialement de la date de l'intervention avec constitution de phénomènes de rétraction, d'infiltration scléreuse de la peau sur un talon élargi et diminué de hauteur. Il en résulte des difficultés de fermeture avec danger de désunion et de nécrose.

D'autres dont nous sommes, ont préconisé l'intervention précoce si possible durant les 48 premières heures pensant ainsi éviter ces désagréments. La révision de nos cas n'a pas confirmé ces espoirs car le taux de petites désunions est encore de 23 % et de nécroses des bords de 14 %. Il semblerait que le dixième jour serait le moment optimum pour l'intervention mais il est impossible d'en faire une règle en raison des variations de l'état cutané et du type de fracture.

Ces problèmes cutanés doivent donc être l'objet de préoccupations constantes de celui qui entreprend le traitement chirurgical des fractures du calcanéum.

b) **La position de l'opéré** (fig. 63, A). — Le blessé est installé en décubitus latéral, le pied repose sur une caissette qu'il déborde légèrement. Le garrot pneumatique est systématiquement utilisé sauf contre-indication. La couverture prévoit un champ de prélèvement de greffon soit tubérositaire tibial, ou mieux au niveau de la crête iliaque.

c) **L'incision cutanée. La voie d'abord** (fig. 63, B). — La voie d'abord de très loin la plus utilisée est rétro- et sous-malléolaire externe se prolongeant vers l'avant jusqu'à l'interligne calcanéo-cuboïdien.

Quelques variantes sont possibles selon les auteurs : les uns dont nous sommes, ont tendance à horizontaliser au maximum l'incision, ce qui a entre autre pour avantage de pouvoir prolonger vers l'arrière et de mieux contrôler l'angle postérosupérieur souvent relevé dans les enfoncements verticaux et l'abaissement de la partie postérieure du calcanéum lorsqu'elle est ascensionnée; d'autres ont plutôt tendance à verticaliser leur incision car elle donnerait une meilleure vision de la surface thalamique. D'autres encore préconisent l'incision incurvée en L vers le haut derrière la malléole externe. Cette variante ne donne pas une bonne vue sur le massif calcanéen postérieur. Elle a pour nous le seul avantage d'être moins dangereuse surtout pour le nerf saphène externe ainsi que pour la branche de l'artère péronière postérieure qui dans la variété horizontale peuvent facilement être sectionnés par un opérateur non averti. Or, le nerf doit absolument être repéré et protégé dès la traversée des téguments et l'on est étonné de ne pas le voir mentionner dans certains travaux. Le danger de section est très réel car le nerf est immédiatement sous la peau — nous avons retrouvé quelques cas dans notre statistique — et l'anesthésie du bord externe du pied ou les douleurs névromateuses qu'elle entraîne gênent beaucoup le patient. Une ou deux fines branches antérieures de ce nerf sont sectionnées au passage. Quant à la veine saphène externe, cheminant en superficie par rapport au nerf, la dissection et la préservation de son tronc principal en sectionnant et ligaturant toutes les branches antérieures, nous semble la bonne solution.

La voie interne décrite par Boppe et Paitre [210] est tout à fait exceptionnellement indiquée dans le cas de fracture luxation type 2 avec incarcération du tendon du long fléchisseur propre du gros orteil : l'incision est menée de la pointe de la malléole interne au tubercule du scaphoïde. Le canal ostéofibreux du jambier postérieur et du fléchisseur commun des orteils est incisé et les tendons sont réclinés, le premier vers le haut et le second vers le bas. En restant bien au ras de l'os on désinsère la chair carrée et on refoule vers l'arrière le paquet vasculo-nerveux. La face interne de l'os, le sustentaculum tali sont ainsi aisément découverts et le tendon du fléchisseur propre peut être désincarcéré.

d) **Comportement vis-à-vis de la gaine des péroniers et des tendons** (fig 63, C, D). — Gaine et tendons péroniers latéraux font obstacle à l'accès au calcanéum. La section temporaire des tendons péroniers latéraux comme l'avaient pratiqué les anciens parmi lesquels Leriche, est évidemment une solution à rejeter car trop mutilante. D'autres attitudes sont possibles :

— L'ouverture de la gaine commune et de la seule gaine propre du court péronier latéral dont le tendon est récliné vers le bas par deux écarteurs de Farabeuf. La lèvre supérieure de l'incision étant relevée par un troisième écarteur à griffe type Volkmann. Le jour est étroit mais les structures anatomiques sont respectées au maximum. Cette façon de procéder convient aux fractures relativement simples.
— L'ouverture de la gaine commune et des gaines propres. Les deux tendons sont alors fortement réclinés soit vers le haut en les luxant

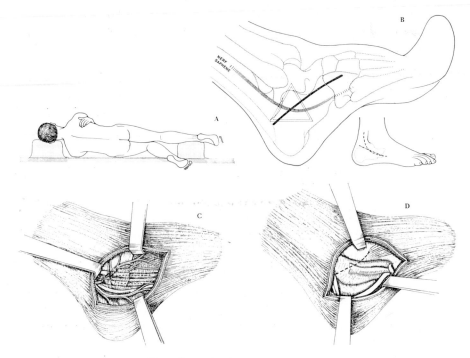

FIG. 63. — *Technique chirurgicale.*

A. Position de l'opéré.

B. Incision cutanée. En cartouche : les différentes variantes. Attention au nerf saphène.

C. Plans superficiels : veine et nerf saphène externe. Tracé de l'incision d'ouverture de la gaine des péroniers.

D. Ouverture de la gaine. Tendons réclinés. Tracé de l'arthrotomie sous-astragalienne.

E. Ouverture de l'articulation que l'on fait bâiller. Bilan des lésions. Premier temps de l'arthrodèse par ablation au ciseau du cartilage astragalien.

F. Réduction de l'enfoncement thalamique grâce à la spatule et au crochet. Fixation par vis transversale.

G. Vissage complémentaire de la grande apophyse. Introduction d'un greffon spongieux dans le vide sous-thalamique.

H. Fixation de l'arthrodèse par vis calcanéo-astragalienne.

I. Fixation par deux broches.

autour de la malléole externe, soit vers le bas. Le jour est bien meilleur. Cette variante est indispensable pour traiter les fractures complexes.

Dans ces deux cas, l'accès dans le fond de la coulisse ostéofibreuse des péroniers à l'articulation sous-astragalienne est très aisé.

Le respect de la gaine, proclamé par certains, qui serait réalisable en l'abordant le long de son bord inférieur et en la réclinant en masse vers le haut, au ras de l'os sans l'ouvrir, nous semble parfaitement illusoire et nous en avons expliqué les raisons.

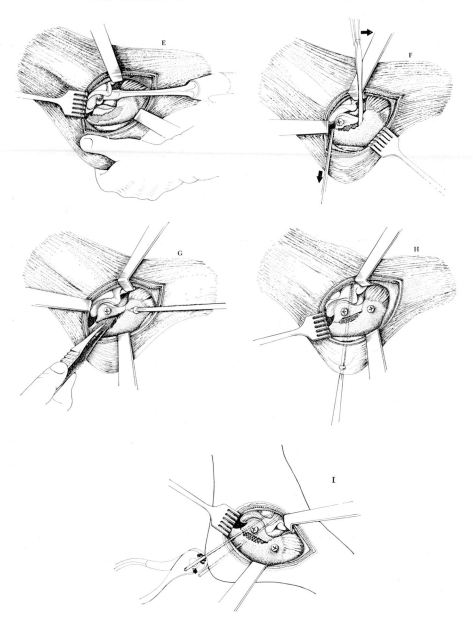

e) **Arthrotomie sous-astragalienne** (fig. 63, D). — L'arthrotomie sous-astragalienne est faite au bistouri enfoncé perpendiculairement dans le fond de
la coulisse ostéo-fibreuse des péroniers (un bistouri incliné obliquement vers le
haut ouvrira facilement l'articulation tibiotarsienne qui est très proche). Elle
sectionne obligatoirement en plus de la capsule les ligaments astragalo-calca-

néens postérieurs et externes assez mal individualisés et surtout le faisceau
péronéo-calcanéen du ligament latéral externe de la tibio-tarsienne qui lui est
bien visible.

L'arthrotomie se prolonge vers l'avant par la section du ligament inter-
osseux en haie dans le sinus transverse du tarse ainsi que par la désinsertion
du muscle pédieux sur la face supérieure de la grande apophyse, ce qui permet
de bien contrôler la portion antérieure du trait de séparation sagittal. Durant
cette manœuvre la main gauche de l'opérateur empaumant et poussant le
talon vers le bas fait bailler l'articulation, siège d'une hémarthrose que l'on
vide à l'aspirateur. Le bilan des lésions peut ainsi être pratiqué et le temps de
réparation peut commencer. Ce temps comporte des séquences de réduction
d'ostéosynthèse, d'arthrodèse complémentaire dont nous étudierons les moda-
lités lors de la description des diverses méthodes de traitement.

f) **Le problème de la greffe osseuse** (fig. 63, G). — Dans le traitement des
fractures fraîches, il a longtemps été classique de combler systématiquement
le vide sous-thalamique résultant du relèvement de l'enfoncement du thalamus
par des greffons corticospongieux iliaques qui jouaient en même temps le
rôle de soutènement.

En réalité l'os spongieux se régénère très facilement pour peu que les
parois de la loge aient été reconstituées et fixées de façon stable. A défaut de
la reconstitution d'une coque calcanéenne rigide, le tassement secondaire est
inéluctable. Ce comblement n'étant pas toujours nécessaire, nous avons depuis
dix à quinze ans abandonné la greffe systématique la réservant aux enfoncements graves. Nous évitons ainsi le temps de prélèvement et tous les ennuis
consécutifs — douleurs, désunions, hématomes, suppurations, voire fracture
si le site de prélèvement est l'extrémité supérieure du tibia.

Pour la réalisation de l'arthrodèse primitive la greffe n'est souvent pas
nécessaire alors que pour les arthrodèses tardives elle est indispensable.

Quant au problème de l'utilisation d'os conservé, type os de Kiehl nous
l'avons sauf exception évité, vu ses piètres qualités mécaniques et sa valeur
biologique discutable.

g) **La fermeture, les soins post-opératoires et la rééducation.** — Quelques
points de catgut fin ferment tout au moins partiellement la gaine si elle a
été ouverte.

La suture du faisceau péronéo-calcanéen du ligament latéral externe nous
semble illusoire car sa section franche et sa remise en place bord à bord
garantissent sa bonne cicatrisation. Un plan sous-cutané n'est guère réalisable,
vu le peu de consistance du tissu cellulaire sous-cutané. La peau sera donc
refermée après mise en place d'un drain de Redon dans le sinus transverse
du tarse, en alternant point simple et point de Donati et en évitant toute
tension et toute striction.

Une botte plâtrée matelassée, puis l'installation au lit, jambe surélevée
compléteront le traitement. Le drain sera enlevé à la 48ᵉ heure. Le plâtre
sera changé au 15ᵉ jour, moment de l'ablation des fils. Un plâtre de Graffin

à chambre postérieure libre prendra le relais. Il sera systématiquement muni d'un étrier de marche permettant dès lors l'appui et la déambulation.

Cette mise en charge est capitale car elle évite les impressionnantes ostéoporoses constatées autrefois. La durée de l'immobilisation sera d'autant plus courte que l'ostéosynthèse sera plus stable et elle ne devra en aucun cas excéder huit semaines.

Un mois de marche sur la pointe du pied précèdera alors la mise en charge complète à trois mois révolus. Pour les arthrodèses primitives, l'immobilisation plâtrée en Graffin avec appui sera de douze semaines jusqu'à la fusion clinique et radiologique.

L'œdème post-traumatique résiduel après ablation du plâtre devra être énergiquement combattu sous peine de voir s'installer un tableau d'œdème chronique avec troubles trophiques. Nous réalisons au minimum deux bottes d'Unna à la colle de zinc consécutives à quinze jours d'intervalle, qui sont relayées au bout d'un mois par le port permanent d'une bande ou d'un bas élastique. La surélévation nocturne et diurne chaque fois que faire se peut est systématiquement recommandée.

La rééducation fonctionnelle ne doit pas être négligée. Elle doit être centrée non sur la récupération des mouvements du cou-de-pied qui va de soi et ne pose en règle pas de problèmes mais sur la récupération de la souplesse globale du pied, sur le déroulement harmonieux du pas, sur le jeu musculaire par des exercices talon-pointe. La bicyclette, les poids et poulies, les bains sont de précieux adjuvants.

La sous-astragalienne doit être spécifiquement mobilisée en cas d'ostéosynthèse sans arthrodèse. Dans la mesure où cette ostéosynthèse est stable il est bon de commencer cette mobilisation très précocement en supprimant les joues latérales du plâtre de Graffin pour permettre au kinésithérapeute de manipuler le talon.

Les méthodes. — Elles sont au nombre de quatre :
— l'ostéosynthèse;
— la reconstruction arthrodèse primitive;
— les arthrodèses secondaires ou tardives;
— l'ostéotomie des cals vicieux avec ou sans arthrodèse.

Les méthodes chirurgicales de traitement de l'infection calcanéenne seront traitées dans un chapitre spécial.

a) **L'ostéosynthèse.** — C'est la méthode de base la plus couramment utilisée. Elle consiste en une réduction la plus précise possible des fragments déplacés pour « reconstruire » le calcanéum, suivie d'une fixation stable. Ces principes fort simples à énoncer sont en pratique souvent fort difficiles à réaliser. Cette méthode dont on attribue à tort la paternité à Palmer suivi par Judet et d'autres, fut réalisée bien avant eux dès 1925 par Stulz sous l'impulsion de Leriche.

Les manœuvres fondamentales de réduction sont le relèvement du thalamus enfoncé et l'abaissement de la tubérosité postérieure lorsqu'elle est ascensionnée (fig. 63, f).

Le relèvement du fragment thalamique se fait à l'aide d'une spatule mousse et légèrement courbe que l'on insère dans le trait de refend transversal préthalamique et sur laquelle on exerce un mouvement de levier analogue à la manœuvre du « démonte pneu ». La précision de la réduction est attestée par la remise à niveau des différents fragments thalamiques et par la disparition de la marche d'escalier au niveau de la lame corticale dense qui limite le rebord supérieur de l'orifice externe du sinus du tarse (crucial angle).

L'abaissement du corps et de la tubérosité postérieure ascensionnés se fait après mise en équin du pied grâce à un crochet mousse type Lambotte qui cravatte le bord supérieur du corps de l'os et le tire vers le bas.

Ainsi — dans les bons cas tout au moins — est reconstituée la forme du calcanéum. Mais plus la fracture est complexe et important l'enfoncement, plus les manœuvres sont difficiles à exécuter sur un os transformé en un véritable puzzle par la comminution.

La contention des fragments réduits peut se faire à l'aide de vis, de broches ou de plaques.

Le vissage (fig. 64, A, B et fig. 65) est pour nous le meilleur procédé de fixation. On utilise des vis à compression, autotaraudeuses, mises en place après préparation du trou par une mèche de 3,2 mm, sur fragments fixés temporairement par une broche. Deux, parfois trois vis placées de façon très précise, suffisent en règle à fixer les fragments principaux :

— Le thalamus désenclavé et remis à niveau est fixé par une vis de 4 cm munie d'une rondelle qui est introduite par la face externe du thalamus et orientée légèrement vers l'avant et le haut pour trouver un solide ancrage dans la corticale du sustentaculum tali.

— La grande apophyse fracturée par la portion antérieure du trait sagittal et par le trait transversal de refend dans le sinus transverse du tarse est ostéosynthésée par une vis qui doit être orientée en sens inverse légèrement vers l'arrière et vers le haut.

Lorsque le fragment antéro-interne n'est pas refracturé, il constitue une solide attelle interne sur laquelle les deux vis fixent la fracture de façon très stable. S'il est refracturé, une ou deux broches longitudinales devront compléter cette ostéosynthèse. Une plaque externe jouerait le rôle d'attelle externe mais nous sommes hostiles à ce mode d'ostéosynthèse.

La fracture en soufflet de l'enfoncement vertical n'est la plupart du temps pas totalement réduite et fixée par la vis transthalamique transversale. Une vis complémentaire perpendiculaire au trait de fracture placée de haut en bas peut alors assurer une bonne réduction et fixation (fig. 64, C). Sa pose achoppe parfois à la comminution de la corticale plantaire et des tubérosités plantaires postérieures dans laquelle la vis ne trouve pas une bonne prise. C'est pourquoi nous déconseillons de placer la vis de bas en haut à travers une petite contre-incision plantaire d'autant plus que l'épaisseur et la constitution anatomique de la coque talonnière rendent cette manœuvre difficile en particulier lorsque la vis n'est pas bien positionnée du premier coup.

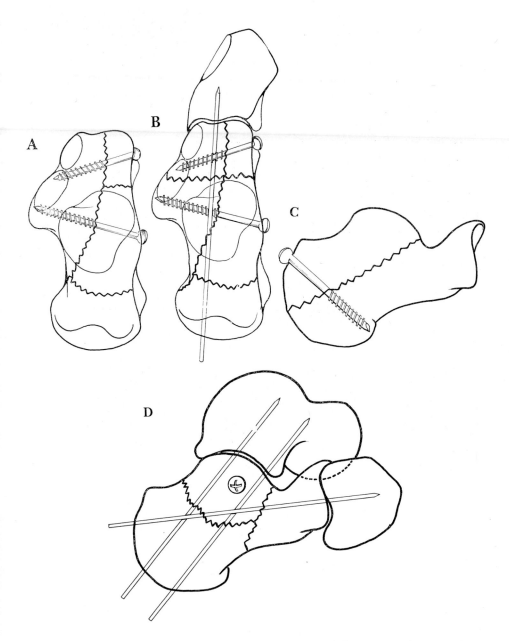

FIG. 64. — *Ostéosynthèse des fractures thalamiques.*
A. Montage par vis. *B.* Montage par vis et broche.
C. Vissage du fragment en soufflet. *D.* Brochage multiple.

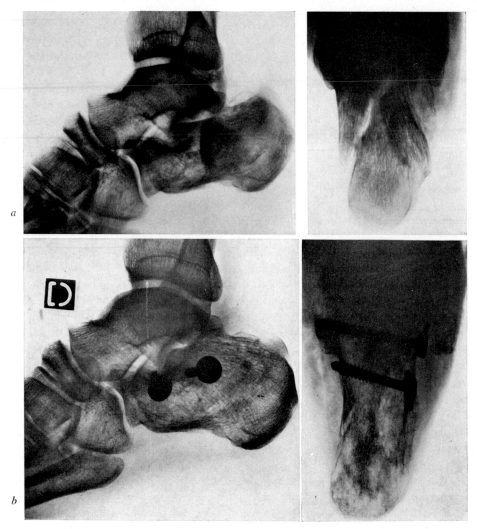

FIG. 65. — *Fracture type 3 verticale 3ᵉ degré traitée par vissage.*
a) Clichés pré-opératoires : profil, axial.
b) Clichés post-opératoires : profil, axial.

Le brochage multiple (fig. 64, D, et fig. 66) associé ou non avec le vissage représente au calcanéum un appoint extrêmement précieux. Comme pour le vissage le positionnement des broches d'une épaisseur minima de 4 mm doit être rigoureux. Au nombre de deux à quatre elles son placées longitudinalement d'arrière en avant à travers de toutes petites incisions. Les unes sont orientées obliquement vers le haut et doivent être poussées jusqu'à l'astragale; elles servent plus particulièrement à maintenir l'abaissement de la grosse tubérosité postérieure. Les autres sont horizontales en direction du cuboïde et solidarisent les fragments antérieurs et postérieurs. L'ancrage provisoire à

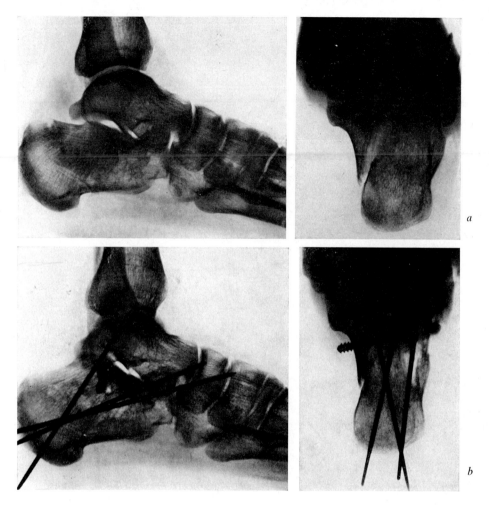

a

b

FIG. 66. — *Fracture type 3 vertical 2ᵉ degré traité par brochage - « cadrage »*
(cas du Dʳ Molé).
a) Cliché pré-opératoire. *b)* Cliché post-opératoire.

l'astragale et au cuboïde est très important car il donne des points d'appui solides
à ce « cadrage » de la fracture. Les broches sont coupées au ras de la peau de
façon à ne pas dépasser; elles devront être enlevées sous anesthésie locale
vers la sixième-huitième semaine.

La pose de *plaques* (fig. 67) de différentes formes a été préconisée et mise
au point en France par l'école de Judet et par Lanzetta en Italie dans l'idée de
réaliser un montage stable permettant de se passer totalement de plâtre. Ce
dernier postulat est à vrai dire discutable car se passer du plâtre, c'est se
passer de la mise en charge précoce qui est probablement tout aussi bénéfique
que la mobilisation précoce. Par ailleurs, la mise en place d'une plaque même

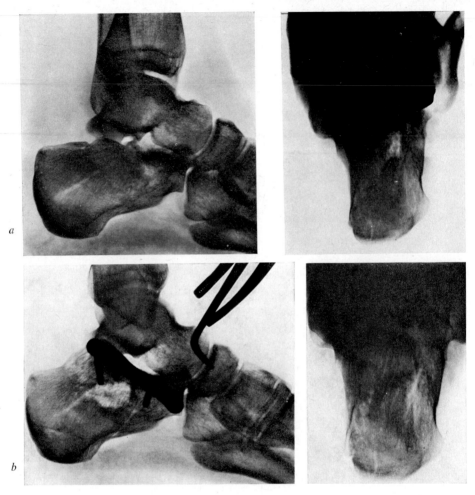

FIG. 67. — *Fracture type 3 horizontale 2ᵉ degré traitée par plaque* (cas du Dʳ MOLÉ).
a) Clichés pré-opératoires : profil, axial.
b) Clichés post-opératoires : profil, axial.

d'un modèle plus mince type petite plaque AO dans un « site » aussi mauvais que la région sous-malléolaire externe, expose à des ennuis de cicatrisation certains. Judet signale onze nécroses cutanées sur 117 calcanéum opérés. Dans notre série qui comporte des cas opérés à la Pitié-Salpêtrière et par le Dʳ Mole à Colmar, nous relevons 50 % de troubles de la cicatrisation.

Ces raisons nous rendent très circonspects vis-à-vis de ce matériel certes excellent sur le plan mécanique mais trop agressif et nous incitent à le déconseiller d'autant plus que l'objectif du montage stable peut presque aussi bien et moins dangereusement être atteint grâce au vissage simple ou multiple associé si nécessaire au cadrage par broches.

La fixation de même que la réduction peut s'avérer imparfaite en cas de fracture complexe et ainsi se trouvent tracées les limites de la méthode d'ostéosynthèse dont l'autre postulat — la conservation d'une mobilité sous-astragalienne — s'avère fréquemment illusoire. A ces arguments s'ajoute le fait capital et déterminant représenté par l'existence de lésions cartilagineuses irréparables. Celles-ci conditionneront le recours à l'arthrodèse.

b) **Les arthrodèses sous-astragaliennes.** — L'arthrodèse sous-astragalienne dans le traitement des fractures graves du calcanéum est en effet née d'un constat d'échec :

— Echec d'une réduction anatomique et d'une fixation stable qu'elle soit pratiquée à foyer fermé sous forme de réduction orthopédique selon Boehler-Westhues et ses variantes, ou à foyer ouvert sous forme d'ostéosynthèse.
— Echec ou plus exactement impossibilité du traitement valable des lésions cartilagineuses graves qui accompagnent les fractures-enfoncements. Les imperfections de traitement retentissent inévitablement sur la fonction de l'articulation sous-astragalienne au niveau de laquelle se développe une arthrose douloureuse souvent rebelle et qui retentit à distance selon l'importance de la déformation sur les autres articulations du pied compte tenu de leurs interactions statiques et fonctionnelles.

C'est pour éviter cette arthrose que certains ont préconisé le blocage primaire ou précoce de l'articulation. Pour la combattre une fois installée, le recours est représenté par l'arthrodèse secondaire ou tardive.

Qu'elle soit primitive ou secondaire, l'accord s'est fait à l'heure actuelle sur le blocage chirurgical de la seule articulation postéro-externe. En effet, la double arthrodèse sous-astragalienne a longtemps été préconisée par certains auteurs qui craignaient l'apparition d'une arthrose secondaire douloureuse de l'articulation de Chopart après arthrodèse calcanéo-astragalienne isolée. La pratique n'a pas confirmé ce point de vue : il se développe effectivement une arthrose médio-tarsienne au long cours mais il s'agit d'une découverte radiologique sans traduction clinique tout au moins lorsque la forme du calcanéum avait été reconstituée.

L'association d'une fusion médio-tarsienne astragalo-scaphoïdienne et calcanéo-cuboïdienne n'est indiquée que dans les cas très particuliers présentant des lésions associées importantes de ces articulations. Dans tous les autres cas, ce blocage doit même être évité pour minimiser les effets de l'arthrodèse sous-astragalienne et permettre les mouvements de compensation dans la médio-tarsienne.

Quant à l'articulation antéro-interne entre l'astragale et le sustentaculum tali, il vaut mieux ne pas y toucher de peur de « mordre » sur la médio-tarsienne avec laquelle elle communique.

Les arguments des partisans d'une telle solution sont nombreux et solides :

— Caractère licite d'un tel sacrifice articulaire compte tenu du rôle d'appoint de la sous-astragalienne dans la station debout et la déambulation. Il est certain qu'un genou, une tibio-tarsienne doivent être conservés à tout prix compte tenu de leur importance fonctionnelle capitale. Au niveau d'une sous-astragalienne le problème est différent.

— Intérêt évident d'une sous-astragalienne stable et indolore plutôt que mobile et douloureuse.

— Caractère très souvent illusoire du postulat de la conservation d'une mobilité utile de cette articulation après fracture du calcanéum alors que l'expérience prouve qu'elle est, sauf exception, pratiquement toujours enraidie. Rappelons que lors d'une révision à dix ans de 35 fractures du calcanéum traitées selon Boehler-Westhues, nous n'avons trouvé aucune mobilité sous-astragalienne appréciable cliniquement, que cinq malades avaient complètement fusionné leur articulation et six partiellement (fig. 60).

— Valeur éprouvée de la méthode qui a fait ses preuves de très longue date dans nombre d'affections orthopédiques du pied : pieds paralytiques, pieds bots, etc.

Les adversaires de l'arthrodèse la jugent antiphysiologique; ils insistent sur le rôle important de cette articulation qui avec la médio-tarsienne conditionne les mouvements d'adaptation du pied lors de la marche sur terrain inégal. La perte de cette mobilité est certes bien supportée par les patients vivant en ville mais elle constitue un handicap pour tous les autres. Cette opposition de principe ne tient pas compte de la réalité des faits et plus particulièrement de l'enraidissement post-fracturaire quasi-constant de cette articulation.

1. *L'arthrodèse primitive sans réduction préalable* préconisée il y a fort longtemps déjà par Van Stockum puis reprise surtout par les chirurgiens américains, n'est applicable que dans les fractures peu déplacées. Dans les fractures fortement déplacées en particulier en varus, les risques de troubles statiques secondaires graves sont très grands et interdisent donc ce type d'opération. Leurs techniques sont identiques à celles de l'arthrodèse secondaire et seront décrites plus loin.

2. *La reconstruction arthrodèse de Stulz*. — La RA ou opération de Stulz représente l'aboutissement de l'évolution des conceptions de notre Maître, du traitement des fractures thalamiques du calcanéum.

Cette méthode associe à un temps de reconstruction très précise de la forme du calcanéum, une arthrodèse calcanéo-astragalienne postérieure immédiate. Stulz était longtemps resté partisan de la conservation de la mobilité sous-astragalienne car « une bonne réduction articulaire diminue beaucoup la durée et l'intensité des phénomènes d'arthrite traumatique et donne des chances réelles de conserver les mouvements sous-astragaliens ». A l'inverse il avait constaté que plus l'articulation s'enraidissait, plus les douleurs diminuaient pour disparaître complètement quand la fusion spontanée se réalisait. Enfin, il lui était apparu que l'arthrodèse tardive dans le traitement des séquelles de fractures du calcanéum non réduites était une médiocre solution car en règle générale, les troubles statiques dus à l'enfoncement du thalamus avaient retenti à distance sur l'ensemble du pied.

C'est ainsi que s'était progressivement dégagé sa doctrine d'associer immédiatement à la réduction sanglante de la fracture une arthrodèse en bonne position. Cette intervention répondait au double impératif d'une restauration anatomique la plus précise possible de l'os fracturé et d'une récupération rapide d'une marche indolore au prix du sacrifice délibéré de la mobilité sous-astragalienne.

Sur le plan technique les temps de l'arthrodèse s'intercalent entre les différentes séquences de l'ostéosynthèse déjà décrite (fig. 63, E, G, H et fig. 68, 69). Par la même voie d'abord et après ouverture de l'articulation sous-astragalienne le premier temps de l'arthrodèse est réalisé en « pelant » le cartilage articulaire de la face inférieure de l'astragale en utilisant un ciseau-gouge manié à la main. Après réduction et vissage éventuel — lorsque l'absence de comminution le permet — du thalamus enfoncé, ce même geste est exécuté sur le versant calcanéen mais avec plus de difficultés en raison de l'instabilité osseuse. Enfin le dernier temps est réalisé par la fixation du calcanéum à l'astragale à l'aide de deux broches de Kirschner ou d'une longue vis à compression au filetage court ne prenant que dans l'astragale. Il faut toutefois se garder de la serrer trop fort afin d'éviter un télescopage des fragments. La pose de copeaux spongieux dans l'interligne et dans le vide sous-thalamique est un complément utile dans les cas graves. Nous avons cru à une certaine période que le vissage représentait un progrès par rapport à la double broche car réalisant une fixation de l'arthrodèse plus stable. En réalité il n'en est rien; l'analyse de nos cas nous a montré que le montage par deux broches était supérieur. Par ailleurs les broches sont plus faciles à poser et à enlever.

La reconstruction arthrodèse est l'intervention des cas difficiles.

c) **L'arthrodèse secondaire ou tardive.** — Cette intervention ne porte comme dans l'opération de Stulz que sur l'articulation astragalo-calcanéenne postéro-externe et laisse indemne l'articulation antéro-interne pour ne pas perturber les mouvements de l'articulation médio-tarsienne.

Dans l'hypothèse d'une arthrodèse sur calcanéum antérieurement réduit, cette arthrodèse se fera par simple avivement complété éventuellement par quelques copeaux spongieux et sera fixée par broches ou vis.

S'il s'agit d'une arthrodèse sur ancienne fracture non réduite, la meilleure technique consiste par voie d'abord externe, à introduire après avivement dans l'interligne un gros greffon corticospongieux de préférence iliaque qui assure la fusion et redonne par la même occasion une bonne hauteur au talon. Son épaisseur ne doit pas être excessive (1 cm à 1,5 cm) pour ne pas entraîner une trop large béance cutanée impossible à fermer (fig. 70).

L'opération peut être complétée par une fixation grâce à une vis ou deux broches.

La variante décrite par Gallie [101] consistant à aborder l'articulation sous-astragalienne par voie postérieure latéro-achilléenne externe, peut également être utilisée.

La double arthrodèse sous-astragalienne n'est qu'exceptionnellement indi-

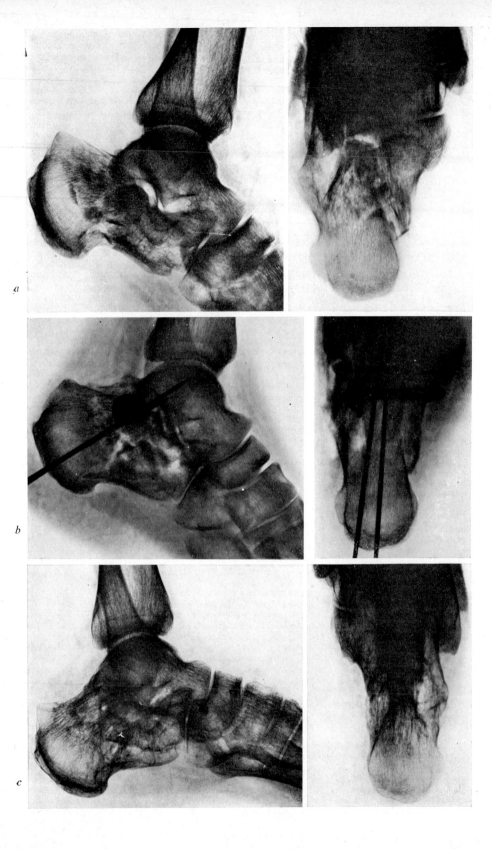

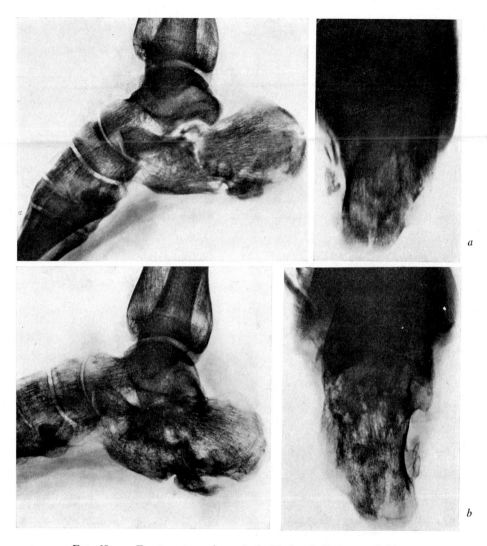

a

b

FIG. 69. — *Fracture type 4, verticale 3ᵉ degré. R.A. acceptable.*
a) Cliché pré-opératoire : profil, axial.
b) Cliché à cinq mois : profil, axial.

FIG. 68. — *Fracture type 4 verticale 3ᵉ degré. Bonne reconstruction, arthrodèse.*
a) Clichés pré-opératoires : profil, axial. b) Clichés post-opératoires : profil, axial.
c) Clichés au 14ᵉ mois : profil, axial.

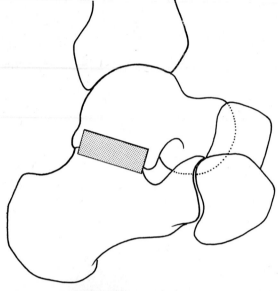

Fig. 70.

Schéma de l'arthrodèse secondaire avec greffe de l'interligne.

Ostéotomie d'un cal vicieux thalamique avec arthrodèse secondaire.

Clichés pré-opératoire *(a)* et post-opératoire *(b)* à six mois.

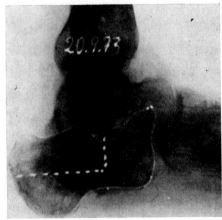
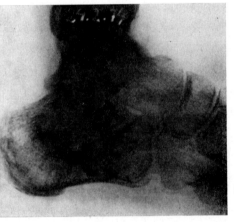

a   *b*

quée. Pour sa réalisation nous recommandons la technique de Meary [191], version la plus actuelle d'une intervention parfaitement classique.

d) **La résection et l'ostéotomie des cals vicieux.** — *La résection* est une opération simple, pratiquée à la demande, au ciseau frappé à travers une incision centrée sur la saillie incriminée (fig. 51).

L'OSTÉOTOMIE DES CALS. — Reprise par R. Judet [47] nous empruntons à cet auteur la description de la technique de cette intervention ambitieuse car, à l'opposé de l'arthrodèse qui ne fait qu'entériner un échec, elle se propose de remodeler un calcanéum déformé en conservant l'interligne dans les bons cas.

Par une voie d'abord classique sous et rétromalléolaire externe, « l'abord de la sous-astragalienne cachée par la boursoufflure externe, rend indispensable la taille d'une écaille à charnière antérieure. Elle est d'autre part un début d'amincissement transversal du calcanéum, et elle servira ainsi d'étai au thalamus relevé. »

L'exploration de l'interligne permet de distinguer deux éventualités :
— soit on découvre un cartilage valable et on peut alors réaliser au ciseau

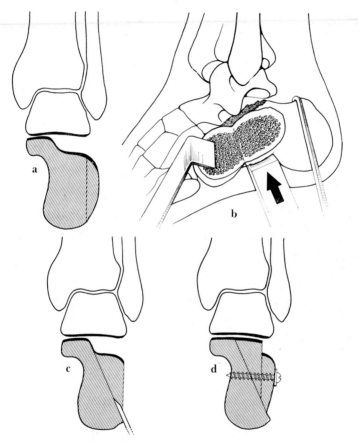

Fig. 71. — *Ostéotomie d'un cal vicieux avec conservation de l'interligne* (selon R. Judet).

    a et *b*) Taille de l'écaille externe. *b* et *c*) Ostéotomie de relèvement du thalamus. *d*) Fixation de l'ostéotomie par plaque vissée prenant appui sur l'écaille externe.

dirigé de dehors en dedans et de bas en haut vers le sinus, une ostéotomie de relèvement fixée par une plaque vissée appuyée sur l'écaille externe remise en place (fig. 71);
— soit l'exploration trouve un thalamus dépourvu de cartilage et on est

alors dans l'obligation de faire une arthrodèse sous-astragalienne non sans avoir auparavant relevé le thalamus (fig. 70).

L'ostéotomie de la grosse tubérosité est un geste complémentaire indispensable dans les cals vicieux majeurs. Son plan de section doit à la fois abaisser la grosse tubérosité pour retendre le tendon d'Achille, le reculer pour rétablir un bras de levier tricipital correct, la repousser en dedans pour annuler l'effet de valgus » (fig. 72).

Ces techniques séduisantes et ambitieuses doivent absolument être réservées à des chirurgiens très rompus aux problèmes de chirurgie osseuse en général et de chirurgie du pied en particulier.

Entre les mains de chirurgiens moins avertis, elles font courir de grands risques d'échec. Par ailleurs il importe de dire qu'une arthrodèse secondaire soigneusement exécutée donne moins brillamment mais plus sûrement des résultats équivalents.

Sous ces réserves qui sont valables pour toute la chirurgie du calcanéum, l'ostéotomie des cals mérite de retenir l'attention ne serait-ce qu'en raison de la vogue persistante du traitement purement fonctionnel, pourvoyeur d'un certain nombre de cals vicieux.

Signalons pour terminer la tentative de traitement des séquelles arthrosiques douloureuses des fractures thalamiques par dénervation du talon en sectionnant les branches des nerfs tibial postérieur et saphène externe. Cette piste est à l'heure actuelle abandonnée.

LES INTERVENTIONS POUR OSTÉITE DU CALCANÉUM. — *Le curetage évidement.* — Cette méthode s'adresse aux ostéites localisées et consiste en une excision de tout le trajet infecté emportant si nécessaire les parties molles.

Si la fermeture est possible des billes de ciment à la gentalline pourront être placées et retirées au bout de trois à quatre semaines (fig. 73).

Si la fermeture est impossible un comblement spongieux immédiat ou précoce est indiqué, complété éventuellement par une greffe dermo-épidermique.

Les calcanectomies. — Elles peuvent être partielles ou totales. Nous utilisons la technique de Martini qui s'est inspiré de Merle d'Aubigné.

Le malade est opéré en décubitus ventral sous garrot pneumatique. Incision longitudinale avec excision des fistules et des parties molles infectées. Section longitudinale du tendon d'Achille qui est écarté. Dégagement large des faces latérales de l'os. Il faut veiller lors de ce dégagement à ne pas léser le paquet vasculonerveux et les tendons fléchisseurs en dedans et les tendons péroniers en dehors.

Après découverte de la face plantaire du calcanéum, la résection est faite au ciseau frappé, à la demande, en enlevant en totalité tout l'os infecté. Elle

→

FIG. 72. — *Ostéotomie de la grosse tubérosité fixée par deux vis* (selon R. JUDET). Schémas et radiographies de profil pré-opératoire *(a)* et post-opératoire *(b)* d'une ostéotomie tubérositaire pour cal vicieux calcanéen.

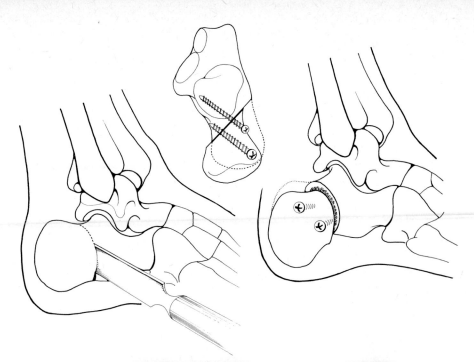

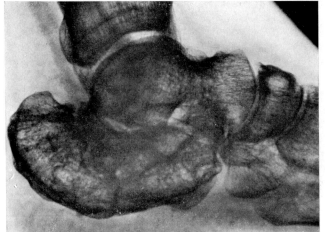

a

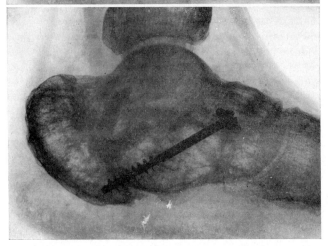

b

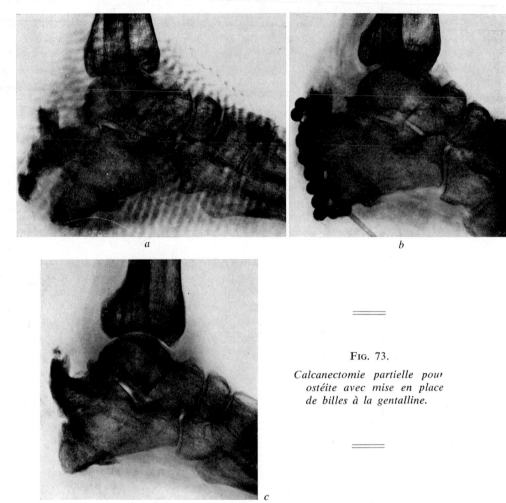

FIG. 73.

Calcanectomie partielle pour ostéite avec mise en place de billes à la gentalline.

peut donc conduire à la calcanectomie totale avec ablation du cartilage astragalien. Suture cutanée en règle facile, éventuellement sur billes à la gentalline et drain aspiratif.

Après cicatrisation l'importante déformation résiduelle doit être appareillée par une chaussure orthopédique sur mesure.

Sur une série de 20 cas de calcanectomies partielles ou totales, dont six post-traumatiques et une post-opératoire, Martini note un décès anesthésique, une amputation secondaire pour troubles trophiques graves sans récidive de suppuration, deux récidives dont l'une guérie par réintervention. Tous les autres cas ont tari d'emblée leur infection et récupéré un appui indolore.

Cette intervention de la dernière chance, s'avère donc très efficace mais au prix d'une mutilation grave. Elle représente le dernier recours avant l'amputation type Syme, bien appareillable à l'heure actuelle et qui dans certains cas peut représenter une meilleure solution qu'un pied trop mutilé.

II. — CAS PARTICULIERS

*1° **Les fractures du calcanéum chez l'enfant.*** — Dans le rapport de Boppe et Paitre [210] les fractures du calcanéum chez l'enfant ne sont pas individualisées. Les ouvrages de traumatologie infantile français et anglo-saxons ne lui réservent qu'une place discrète. Parmi les rares publications de ces dernières années nous relevons en 1973 celle de Matteri et Frimoyer [185] sur les fractures du jeune enfant et celle de Rigault, Padovani et Kliszowski [224] qui constituent un plaidoyer pour le traitement chirurgical de ces fractures. L'un de nous (Touzard) a pu étudier seize cas de fractures chez l'enfant dans le service du Professeur Laurence à Bretonneau. Dans notre service strasbourgeois de 1967 à 1975 toutes les fractures survenues chez des enfants en dessous de dix ans ont été traitées ambulatoirement et ne figurent pas dans notre statistique. Un sondage pratiqué sur deux années de pratique ambulatoire nous a révélé deux cas de cinq et six ans.

De ces différentes expériences il ressort que :

— Les fractures du tout jeune enfant ne posent en règle qu'un problème de diagnostic leur mise en évidence radiographique étant parfois difficile. Leur traitement doit dans l'immense majorité des cas rester orthopédique. Même Rigault et collaborateurs admettent les étonnantes capacités de remodelage à cet âge (fig. 74).

— Les problèmes posés par les fractures du grand enfant et de l'adolescent rejoignent pratiquement ceux de l'adulte.

Reste l'enfant aux alentours de dix ans qui peut poser des problèmes en cas de fractures enfoncement thalamique grave type 4 du 3e degré ou en cas de fracture luxation type 2 dont Rigault rapporte deux cas. Ici l'âge de l'enfant ne doit pas être un obstacle à l'intervention qui est impérative compte tenu de l'importance du déplacement et des séquelles en cas d'abstention.

*2° **La fracture du calcanéum chez les polytraumatisés et les poly-fracturés.*** — La survenue d'une fracture du calcanéum dans un tableau de polytraumatisme ou de polyfracture en particulier de fractures multiples et étagées du membre inférieur pose des problèmes diagnostiques et thérapeutiques.

Sur le plan diagnostic il importe de ne pas méconnaître cette fracture uni ou bilatérale dans un tableau où d'autres lésions plus importantes polarisent toute l'attention. S'il est classique de penser bassin, colonne vertébrale, etc. devant une fracture du calcanéum, le raisonnement inverse est tout aussi valable en particulier lors de chute d'un lieu élevé et il importe de rappeler les règles élémentaires d'examen de tout polytraumatisé qui doit comporter un bilan complet et détaillé de l'ensemble du corps.

Quelle est la place de cette fracture dans la hiérarchie des urgences du traitement ? Il est évident qu'elle vient après les lésions vitales et après les

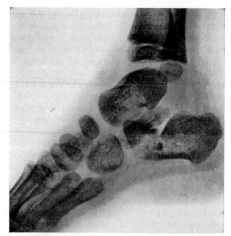

a

Fig. 74.

Fracture-séparation enfoncement type 3 chez un enfant de cinq ans.

a) Profil externe (7-10-1970). b) Profil externe et axial (16-3-1971). Le cal vicieux est en voie de remodelage.

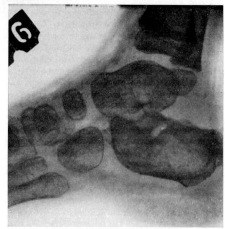

b

fractures de segments corporels plus importants. Est-ce à dire que la fracture du calcanéum doit définitivement passer au second plan ? Certes non si l'état et l'évolution du blessé le permettent. Il est toutefois rare que la fracture du calcanéum soit prise en compte dans un plan de traitement urgent complet et définitif ou traitement en un temps d'un ensemble de fractures ne serait-ce qu'en raison du risque septique accru que comportent des temps opératoires nombreux et trop longs. L'ostéite du calcanéum ne doit pas être le prix de l'application trop systématique du dogme de l'ostéosynthèse de toutes les fractures en urgence.

Le recours à l'intervention différée ou au traitement conservateur selon le type de fracture sera donc l'attitude la plus fréquente chez les polytraumatisés et les polyfracturés.

3° Les fractures de fatigue du calcanéum. — Les fractures de fatigue sont des fractures survenant sur un os présumé sain, sans histoire de traumatisme, à l'occasion d'une activité intense ou d'un surmenage physique. Ce qui explique les publications nombreuses des médecins militaires en particulier par l'étude des jeunes recrues, soumises à une activité physique intense, sans entraînement préalable. C'est une fracture bénigne sans complications.

Si la fracture de fatigue des métatarsiens est bien connue, la fracture de fatigue du calcanéum est découverte plus fréquemment si l'on étudie radiographiquement à plusieurs reprises les malades qui se plaignent de douleurs du talon après exercices de marche prolongée.

En 1952 Leabhardt [163] rapporte 134 cas de fractures de fatigue du calcanéum dont 73 % de bilatérales. En 1959 Wilson [271] avait mis l'accent sur l'augmentation du nombre de fractures du calcanéum par rapport à celles des métatarsiens : sur 250 fractures de fatigue, 88 fractures de métatarsiens soit 35 %, 70 fractures du calcanéum, soit 28 %, 60 fractures du tibia soit 24 %. La fracture du calcanéum était bilatérale dans 19 cas sur 70 cas. En 1975 Ruckert et Brinkmann [230] observent une nette inversion du pourcentage des fractures du calcanéum (78,8 %) par rapport à celles des métatarsiens (11,6 %), chez les recrues entre 1970 et 1973 en raison de sauts répétés avec port d'un paquetage sur sol gelé en hiver.

Delahaye et collaborateurs [75] présentent à la Journée Médicale du Val de Grâce-Cochin en novembre 1977 quatre fractures de fatigue du calcanéum dont une bilatérale. Hopson et Perry [126] en rapportent douze cas soit 10,5 % chez 112 recrues féminines de la marine américaine avec 75 % de formes bilatérales.

Tous les auteurs soulignent les notions étiologiques classiques : marche au pas cadencé, sauts répétés sur sol gelé, courses chez des sujets manquant d'entraînement.

C'est généralement durant les deux premières semaines de l'entraînement qu'apparaissent douleurs de l'arrière-pied et œdème modéré. La douleur provoquée à la pression transversale du pied est fréquente. Les mouvements sont normaux. Tous les auteurs s'accordent pour souligner le retard des signes radiographiques sur la clinique. La radiographie initiale est normale dans 24 % des cas de Wilson et Katz [271]. Il faut multiplier les radiographies dans le temps pour découvrir les signes radiographiques de la fracture de fatigue. En effet une ligne de fracture nette n'est trouvée sur les radiographies que dans huit cas sur 70 de Wilson et Katz. Toujours radiographier les deux calcanéum car la fracture est bilatérale dans 75 % pour Leabhardt, 27 % pour Wilson et Katz, 75 % pour Hopson Perry, une sur quatre pour Delahaye.

Le trait fin est perpendiculaire aux travées osseuses « cheveu sur une porcelaine ». La ligne de condensation à bords flous traversant le tissu spongieux de la grosse tubérosité sans atteinte de la coque plantaire, perpendiculaire aux travées osseuses, est vu secondairement et permet le diagnostic formel (fig. 75). Une apposition périostée au-dessus de la condensation traduit la reconstruction (Delahaye). Ces signes radiographiques s'estompent en quelques semaines.

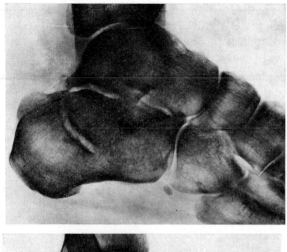
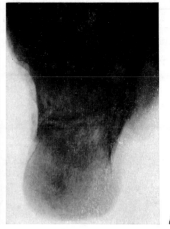

a   *b*

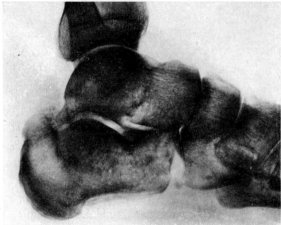

FIG. 75.

Fracture de fatigue chez un homme de 40 ans (cas personnel).

   a et *b)* Cliché de profil et axial au moment de la découverte. *c)* Consolidation avec enfoncement après six semaines.

c

Pathogénie. — Une fissure microscopique à la périphérie où les contraintes sont fortes, progresse perpendiculairement aux lignes de force. La sommation de microtraumatismes dans cette zone de moindre résistance, permet la fracture de fatigue. La reconstruction est contemporaine de la rupture. Le remodelage osseux permet une restitution *ad integrum*.

   Devas [81] range les fractures de fatigue du calcanéum dans le cadre des fractures par compression, elle est fréquente chez le jeune et chez la femme âgée. C'est une affection bénigne sans complications.

Traitement. — Une immobilisation de trois à quatre semaines avec repos au lit permet une guérison clinique et radiographique.

4° Le pied de mine. — Le pied de mine ou « pied soufflé » de Delvoye [77] est l'association de lésions ostéo-articulaires graves d'une partie ou de la totalité du pied avec un gonflement considérable des parties molles et des lésions vasculaires. Le calcanéum est toujours impliqué. La forme typique est fermée mais l'intensité du souffle peut faire éclater la peau voire déshabiller le pied et la jambe. C'est une lésion grave dans l'immédiat et secondairement par ses séquelles fonctionnelles.

Sur le plan étiologique et pathogénique, il faut distinguer le pied de mine direct, secondaire à des mines « antipersonnel », fréquemment ouvert avec projectiles inclus et brûlures associées, du pied de mine indirect, typique, fermé, secondaire à l'explosion d'une mine sous un véhicule.

En dehors des projections de corps étrangers, éclats de mines et débris métalliques, des brûlures associées, c'est l'onde de choc qui est responsable des lésions osseuses et des parties molles. La projection du blessé peut entraîner des lésions associées du crâne, du rachis et des membres.

Les lésions anatomiques sont majeures : le calcanéum est souvent éclaté avec effondrement thalamique et aspect en tampon buvard (fig. 76). Il en

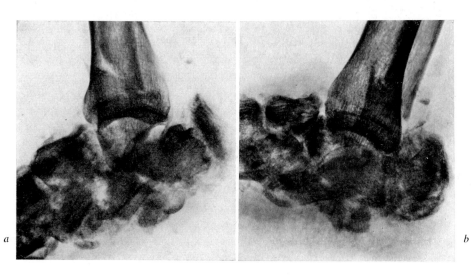

a   *b*

Fig. 76. — *Pied de mine* (cas personnel).
a) Cliché d'origine.
b) Cliché à six semaines avant amputation.

est de même de tous les os avoisinants. La peau est tendue, infiltrée par l'œdème et les suffusions hémorragiques; parfois le squelette est déshabillé. Les muscles sont infarcis, contus. Les lésions vasculaires, spasmes, thrombose, ruptures dominent le pronostic immédiat. Quant aux nerfs ils sont habituelle-ment intacts dans le pied de mine fermé.

Cliniquement on distingue :
— le pied de mine fermé : tuméfié, arrondi, la peau tendue violacée, froide, insensible, avec douleurs atroces; les pouls ne sont pas perçus;

— le pied de mine ouvert : tous les degrés sont possibles de la simple fissuration jusqu'au déshabillage du squelette. Ces blessés doivent être déchoqués, il faut rechercher des lésions associées par criblage de la peau ou par blast pulmonaire, abdominal, cérébral et auditif.

Le traitement doit sauver la vie du blessé et sauver le membre blessé.

Dans l'immédiat : traitement du choc avec antibiotiques à hautes doses et séro-anatoxinothérapie antitétanique. Quant au traitement local, il est dominé dans le pied de mine fermé par le problème vasculaire : les aponévrotomies larges s'imposent associées aux infiltrations artérielles. L'amputation en raison de la menace de gangrène ischémique ne doit pas être proposée d'emblée. Dès que les troubles vasculaires ont cessé, le traitement fonctionnel est proposé, permettant d'obtenir des récupérations fonctionnelles étonnantes. Les pieds de mine ouverts doivent être parés. Dans certains cas l'amputation d'emblée peut s'imposer.

Secondairement des arthrodèses astragalo-calcanéennes ou une double arthrodèse voire une panarthrodèse peuvent s'imposer.

Nosny a tenté l'homogreffe de calcanéum dans neuf cas [206].

Les ostéites du calcanéum seront traitées par mise à plat, irrigations au Dakin, calcanectomies plus ou moins importantes.

L'amputation est parfois réclamée par un blessé dont le pied est déformé, douloureux, fistulisé et inutilisable.

III — RÉSULTATS ET INDICATIONS

Notre étude statistique comporte deux parties :

— Les résultats de quelques statistiques qui nous semblent particulièrement représentatives de chaque mode de traitement : fonctionnel, orthopédique, synthèse et reconstruction arthrodèse.

— Une étude statistique inédite réalisée pour la rédaction du rapport.

ANALYSE DE QUELQUES STATISTIQUES

Résultats du traitement fonctionnel.

Dans le Service de R. Merle d'Aubigné [49] sur 47 fractures thalamiques traitées par la méthode fonctionnelle, on note 17 très bons résultats, 15 bons résultats, 8 passables et 7 mauvais soit 68 % de satisfaisants et 32 % de non satisfaisants. Les résultats du traitement fonctionnel sont moins bons dans les grands enfoncements verticaux en raison de l'incongruence articulaire.

Les accidents du travail n'ont que 60 % de très bons et bons résultats. A noter qu'après 50 ans il n'y a pas de très bons résultats, mais qu'avant 20 ans il n'y a pas de mauvais.

Dans le service de Weber à Berck, Moussaoui [202] dans sa thèse en 1976 fait l'étude de 86 fractures thalamiques chez 74 blessés dont 48 enfoncements verticaux (25 2°-3°) et 34 enfoncements horizontaux (20 2°-3°) et 4 fracas. En cas d'enfoncement thalamique important, le résultat est meilleur dans les formes horizontales que dans les verticales. L'amyotrophie du mollet est fréquente malgré l'appui précoce au 21e jour.

La sous-astragalienne était normale 28 fois avec 25 très bons résultats, diminuée 42 fois avec 30 très bons résultats, nulle 16 fois avec 11 très bons résultats.

Quant à la médio-tarsienne, elle était récupérée dans 70 cas sur 86. Le caractère aggravant de l'accident de travail et de la bilatéralité est souligné. Au total 76 % de très bons, bons résultats avec des délais supérieurs à 1 an.

Résultats du traitement orthopédique.

En 1960, *E. Stulz* et ses élèves [248] ont présenté leur expérience de 324 fractures du calcanéum traités au centre de Traumatologie de Strasbourg entre le 1/1/1945 et le 1/12/1958. La réduction sanglante a été pratiquée 65 fois, l'abstention 93 fois et le traitement orthopédique 166 fois, soit la moitié des cas. Sur ces 166 cas ils rapportent les résultats de 59 cas de *réduction orthopédique bipolaire selon Boehler,* la contention du relèvement thalamique étant assurée par clou de Steinmann fiché dans l'astragale ce qui évitait les déplacements secondaires et permettait 80 % de très bons et bons résultats fonctionnels.

Samsoen en 1959 [231] a étudié les résultats de 101 fractures thalamiques traitées par *poinçon* dans le service de *J. Gosset :* 57 % de très bons, 23 % de bons résultats, soit 80 % très satisfaisants et 20 % de passables ou mauvais. Les résultats étaient meilleurs dans les réductions anatomiques des enfoncements verticaux. Le tiers avait une sous-astragalienne normale ou ankylosée indolore en bonne position. Au passif de la méthode 2 % d'ostéites du calcanéum et 20 % d'ostéoporose algique post-traumatique. Le caractère aggravant de l'accident du travail était déjà souligné.

En 1975 *J. Decoulx* [73] publie les résultats de ses cinquante premiers cas de *réduction enclouage à foyer fermé.* Aucun sepsis à déplorer. 26 très bons et 15 bons résultats, soit 82 % de très bons ou bons résultats. La sous-astragalienne était mobile dans 26 cas, raide dans 7 et bloquée dans 17 cas.

Il n'y a pas de parallélisme constant anatomoclinique entre l'état de la sous-astragalienne et la présence de douleurs.

Résultats du traitement par ostéosynthèse.

De la publication de Deburge, Nordin, Taussig en 1975, concacrée au traitement des fractures thalamiques, et qui fait état d'un nombre égal d'ostéosynthèses et de traitements fonctionnels, nous isolons les résultats de l'ostéosynthèse.

Sur 60 enfoncements verticaux, 32 ont été synthésés avec 7 très bons résultats, 12 bons, 10 passables et 3 mauvais, soit 60 % de très bons et bons résultats.

Sur 34 enfoncements horizontaux, 12 ont été synthésés avec 3 très bons résultats, 5 bons, 2 passables, 2 mauvais soit 66 % de très bons et bons résultats. Sur 11 enfoncements indéfinissables 1 seul a été synthésé.

Données statistiques
sur la reconstruction - arthrodèse selon Stulz.

L'expérience du Centre de Traumatologie et d'Orthopédie de Strasbourg repose sur deux statistiques que nous résumons.

La première regroupait les cas opérés de 1945 à 1958 et comparait les résultats de 52 reconstructions - arthrodèses et 46 ostéosynthèses avec 80 % de très bons et bons résultats à la première contre 58 % à la seconde.

A la suite de cette première évaluation l'opération de Stulz devenait la technique de routine du service.

C'est ainsi que de 1960 à 1966 sur 138 cas opérés 128 le furent par reconstruction arthrodèse et 3 par ostéosynthèse.

Cette seconde statistique basée sur des critères plus sévères très voisins de ceux utilisés à l'heure actuelle n'accordait plus que 59 % de très bons et bons résultats à la méthode. A noter 3 échecs de fusion, chiffre modeste alors qu'un des reproches fait à l'arthrodèse précoce est la relative fréquence de la pseudarthrose.

A cette seconde période faisait suite une lente évolution durant laquelle la reconstruction - arthrodèse prenait progressivement la place que nous lui accordons présentement parmi les méthodes de traitement des fractures thalamiques du calcanéum.

Résultats des traitements chirurgicaux pour séquelles de fracture du calcanéum.

A Cochin, dans le Service de R. Merle d'Aubigné, l'étude des double arthrodèses du pied dans la thèse d'Aubriot en 1967 [19] faisait état de 38 fractures du calcanéum. Chez 36 malades, la double arthrodèse a été précoce au deuxième mois dans 5 cas, secondaire entre 4 et 12 mois dans 12 cas, tardive entre 12 et 24 mois dans 14 cas, enfin dans 6 cas, plus de deux ans après la fracture.

Les résultats fonctionnels ont été très bons 6 fois, bons 17 fois, assez bons 11 fois, médiocres 2 fois, deux cas ont été repris chirurgicalement. Filipe, en 1974 [94] a de même revu les double arthrodèses et confirmé les 60 % de très bons et bons résultats que la double arthrodèse soit précoce devant une déformation inacceptable ou tardive devant des douleurs isolées ou des formes associant douleurs et déformations.

Pour obtenir une adaptation du pied arthrodésé à la marche, il faut un bon fonctionnement de l'avant-pied et une tibio-tarsienne souple car la double arthrodèse limite la flexion dorsale et l'adaptation de l'avant-pied.

Un valgus modéré post-opératoire est compatible avec un bon résultat fonctionnel alors qu'un varus est mal toléré.

A Garches, dans le Service de R. Judet, le traitement des cals vicieux du calcanéum a été étudié par M. Siguier [240], J. Y. de la Caffinière [48] et repris par M. Chanzy [54] dans sa thèse en 1972.

Sur 42 dossiers utilisables des 60 revus en 1971, il faut remarquer la forte proportion de fractures ouvertes (9 sur 42), une majorité de traitement initial par plâtre (dans 24 cas), une rééducation fonctionnelle dans 6 cas, une abstention dans 6 cas, un traitement chirurgical dans 3 cas et inconnu dans 3 cas.

Sept types d'interventions ont été pratiqués :

6 arthrodèses sous-astragaliennes postérieures avec interposition d'une écaille externe, 1 arthrodèse sous-astragalienne postérieure avec modelage et grattage, 4 arthrodèses sous-astragaliennes sans relèvement thalamique, 8 arthrodèses sous-astragaliennes avec relèvement thalamique, 10 double arthrodèses, 2 double arthrodèses avec redressement thalamique, soit

31 arthrodèses et 11 relèvements thalamiques simples sans arthrodèse c'est-à-dire ostéotomies des cals vicieux thalamiques.

Sur l'ensemble, ils ont obtenu 51 % de résultats satisfaisants. En l'absence d'arthrose, de nécrose et de déformation du calcanéum. L'ostéotomie-relèvement secondaire d'un cal vicieux thalamique leur a donné 75 % de résultats satisfaisants.

STATISTIQUE RÉALISÉE A L'OCCASION DU RAPPORT

par

I. KEMPF, R. C. TOUZARD et J. RUELLE

Blessés hospitalisés à Strasbourg de 1966 à 1975 au Centre de Traumatologie et d'Orthopédie de la CRAM de Strasbourg et à la Clinique chirurgicale du Professeur Sicard, C.H.U. Pitié-Salpêtrière de 1961 à 1975 et quelques malades traités à l'Hôpital Pasteur de Colmar (Dr Mole).

Nombre : 281 blessés, 314 fractures, 248 unilatérales et 33 bilatérales, soit 11,7 % de fractures bilatérales.

Nous avons revu pour le rapport 199 patients avec 228 fractures, soit 70 % du total :

— 170 des 248 fractures unilatérales;
— 29 des 33 fractures bilatérales.

7,5 % des cas ont un recul inférieur à 1 an, 12,5 % ont un recul de 1 à 2 ans et 80 % un recul supérieur à 2 ans.

Il n'y a pas de prédominance de côté, 133 fractures à droite, 115 fractures à gauche, 33 fractures bilatérales.

La très nette prédominance masculine est retrouvée : 240 hommes (85,4 %) contre 41 femmes (14,6 %).

L'âge au moment de la fracture : pas de fracture chez l'enfant de moins de 10 ans et 11 cas entre 10 et 20 ans. La moitié des blessés ont entre 30 et 50 ans.

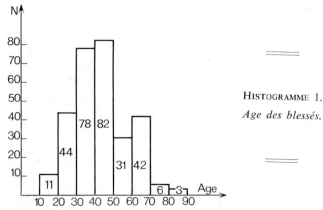

HISTOGRAMME 1.

Age des blessés.

Profession :
— Sans profession, sédentaires : 13,6 %
— Salariés   : 70,2 %
— Professions libérales   : 10,2 %
— Autres   : 6,0 %

Parmi les salariés, 58 % sont des travailleurs « en l'air ».

Circonstances de l'accident :
— Accidents de travail   : 56,9 %
— Accidents de trajet   : 2,3 %
— Accidents de la voie publique : 6,1 %
— Accidents de sport   : 1,9 %
— Accidents domestiques   : 28,2 %
— Tentatives d'autolyse   : 3,8 %
— Autres   : 0,8 %

Mécanismes :
— Chute < 50 cm   : 5,4 %
— Chute de 0,5 à 1 m   : 8,72 %
— Chute de 1 à 2 m   : 20,7 %
— Chute > 2 m   : 55,8 %
— Choc direct   : 8,7 %
— Autres   : 0,7 %

Associations fracturaires en dehors du pied :

Dans les 170 fractures unilatérales revues :
—   7 fractures étagées du même membre;
— 17 fractures du calcanéum d'un côté avec fracture de l'autre membre inférieur;
— 18 fractures du rachis lombaire soit 10,5 % des cas;
—   9 traumatismes crâniens avec perte de connaissance.

Associations fracturaires du même pied :

Dans les 170 fractures unilatérales revues :
— 8 fractures de la cheville, 5 fractures de l'astragale;
— 3 fractures de métatarsiens, 4 fractures du cuboïde;
— 1 fracture du scaphoïde, une du 1er cunéiforme et 2 des phalanges.

Etat cutané à l'admission :

— Ecchymose et œdème dans 43 % des cas : 8 ouvertures (2,55 %), mais 7 cas de dermabrasions, 28 cas de phlyctènes, ce qui porte à 14 % le nombre de fractures exposées.

Statistique de 314 fractures du calcanéum.

30 fractures parcellaires extrathalamiques (1) :

6	fractures de la grosse tubérosité : angle postéro-supérieur	1,91 %
12	fractures de la grosse tubérosité : angle postéro-inférieur	3,82 %
9	fractures de la grosse tubérosité : totales	2,87 %
3	fractures de la grande apophyse	0,96 %

                                                                    9,56 %

284 fractures thalamiques et juxtathalamiques :

39 type I   12,42 %
   — 32 sous-thalamiques à trait transversal,
   — 7 thalamiques à trait saggital, médian ou externe;

7 type II   2,23 %

152 type III (2)   48,40 %
   — 38 1er degré,
   — 114 2e degré,
   — 97 à enfoncement vertical (# 2/3),
   — 49 à enfoncement horizontal (# 1/3),
   — 6 à enfoncement mixte;

84 type IV (2)   26,75 %
   — 52 à enfoncement vertical (> 2/3),
   — 22 à enfoncement horizontal (< 1/3);

2 comminutives   0,64 %

                                                                    90,44 %

Traitement.

Sur l'ensemble des 314 fractures du calcanéum, 76 ont eu un traitement fonctionnel, 40 un traitement orthopédique, 68 une ostéosynthèse, 130 une reconstruction arthrodèse.

Les deux tiers des interventions chirurgicales n'ont pas nécessité de greffons. Le greffon a été plus volontiers iliaque que tibial. Dans les synthèses, le matériel utilisé a été les broches dans 19 cas, les vis dans 28 cas et les plaques dans 17 cas. La fixation de la reconstruction arthrodèse a été confiée dans les deux tiers des cas aux broches et dans un tiers aux vis à spongieux. Quant à la fixation transversale, elle a été pratiquée dans deux tiers des cas par vis.

(1) En fait ce chiffre ne représente pas le chiffre réel des fractures extrathalamiques dont un nombre important est traité en ambulatoire.
(2) L'enfoncement est deux fois plus souvent partiel que total dans les types III et IV.

La chirurgie des séquelles n'a été pratiquée que dans 10 cas, 7 arthrodèses secondaires pour arthrose et 3 ostéotomies sans arthrodèse.

Traitement anticoagulant. — Sur 70 blessés sans anticoagulant 67 n'ont pas eu de complications (95 %).

Sur 20 blessés traités à la calciparine, pas de complications thrombo-emboliques.

Sur 176 blessés traités aux antivitamines K il faut déplorer 3 phlébites confirmées et 2 embolies.

Traitement antibiotique. — 82,5 % des blessés n'ont pas reçu d'antibiotiques.

Dans 39 cas où l'antibiothérapie a été systématique, il n'y a pas eu d'infection dans 35 cas, 4 sepsis des parties molles dont 3 cas avec ostéites ont été traités.

Dans 7 cas, l'antibiothérapie a été pratiquée sur « inquiétude », 4 sont restés sans infection, 3 sepsis des parties molles sans ostéite ont été traités.

Dans 9 cas, l'antibiothérapie était nécessaire sur antibiogramme : 3 infections ont tourné court, 6 sepsis des parties molles dont 4 ostéites ont été traités.

Nous reverrons au chapitre des complications les sepsis et les ostéites.

Durée de l'immobilisation plâtrée.

HISTOGRAMME 2. — *Durée d'immobilisation plâtrée.*

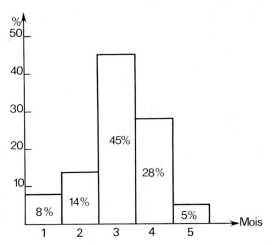

Durée de décharge (Histogramme 3).

La dispersion des chiffres est le témoin du caractère disparate de la statistique. L'emploi récent du plâtre de Graffin avec appui précoce ne peut être significatif actuellement.

Plâtre à la sortie de l'hôpital. — Les malades avaient un plâtre dans 2/3 des cas à la sortie de l'Hôpital. La moitié des plâtres consistait en une botte plâtrée.

HISTOGRAMME 3. — *Durée de décharge.*

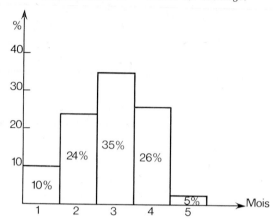

15 cas récents ont bénéficié d'un plâtre de Graffin avec appui précoce.

Complications.

Complications cutanées des traitements chirurgicaux. — Les deux tiers des blessés opérés n'ont pas eu de complications cutanées. Les retards de cicatrisation ou les désunions cutanées sont survenues 46 fois (23 %). La nécrose cutanée a été observée dans 18 cas (14 %).

Cependant grâce au traitement local, la cicatrisation a été obtenue sans intervention de chirurgie plastique.

Ces complications cutanées étaient indépendantes de la voie d'abord, de la fixation osseuse sauf dans les ostéosynthèses par plaque où elles atteignaient la moitié des cas.

Complications septiques des traitements chirurgicaux. — Pas de complications septiques dans 78 % des cas. Dans 34 cas (17 %) sepsis des parties molles et dans 10 cas (5 %) ostéite.

9 sur 130 reconstructions arthrodèse, soit 7 %.

1 sur 68 synthèses (le seul cercle), soit 1,5 %.

Le traitement des dix ostéites du calcanéum n'a pas imposé d'amputation ni de calcanectomie totale. Le matériel d'ostéosynthèse a été enlevé 9 fois, un curetage localisé avec évidement a été pratiqué 6 fois, une calcanectomie partielle 2 fois.

Complications sur prise de greffe. — Sur les 22 prises de greffe iliaque 2 sepsis des parties molles et 2 douleurs résiduelles. Sur les 7 prises de greffe tibiale, une seule douleur résiduelle a été notée.

Complications osseuses des traitements chirurgicaux. — Dans les synthèses, on ne déplore que 3 déplacements secondaires et une nécrose d'un fragment thalamique. Aucune complication osseuse dans les ostéosynthèses par plaque.

Dans les reconstructions arthrodèses, les complications osseuses sont plus fréquentes; 14 échecs d'arthrodèses (10 %), 12 déplacements secondaires (9 %), 1 pseudarthrose confirmée à la réintervention, 2 nécroses d'un fragment thalamique. Toutes ces complications sont plus fréquentes dans les montages par vis à spongieux que dans les montages par broches.

Complications générales sur la statistique globale. — Nous n'avons eu à traiter que 3 phlébites avérées et 2 embolies pulmonaires non mortelles soit 1,6 % de complications thrombo-emboliques.

Il faut déplorer deux décès par embolie pulmonaire massive, l'un peropératoire à la levée du garrot, l'autre chez un polytraumatisé décédé avant l'intervention chirurgicale.

Les blessés traités par les méthodes orthopédiques et fonctionnelles n'ont pas donné de complications générales.

Algodystrophie. — Sur l'ensemble de la statistique (314 cas) ce n'est que dans 43 % des cas qu'il n'y a pas d'algodystrophie clinique et seulement le quart des cas n'a pas de raréfaction radiographique.

TABLEAU I. — *L'algodystrophie*
(selon le mode de traitement).

		F	O	S	RA
	Pas d'algodystrophie	70,5 %	62,5 %	38 %	37 %
Clinique	Algodystrophie localisée	29,5 %	27,5 %	57 %	51 %
	Algodystrophie extensive	0 %	5 %	5 %	12 %
	Pas de raréfaction	64 %	49 %	18 %	7 %
Radiographique	Ostéoporose géodique	10 %	5 %	31 %	41 %
	Ostéoporose homogène banale .	21 %	46 %	30 %	30 %
	Aspects séquelles (peignée, vitrifiée)	5 %	0 %	21 %	22 %

F : traitement fonctionnel.
O : traitement orthopédique.
S : synthèse.
RA : reconstruction arthrodèse.

L'algodystrophie clinique est deux fois plus fréquente dans les cas opérés que dans les cas traités orthopédiquement ou par la méthode fonctionnelle.

L'absence de raréfaction est très nettement plus fréquente dans le traitement orthopédique et fonctionnel.

Résultats.

Les résultats seront appréciés avant tout sur des *critères fonctionnels* qui ont été groupés d'une manière analogue par la majorité des auteurs français. J. Duparc, J. Y. de la Caffinière, F. Mazas, R. Seringe, J. Deburge, J. Decoulx, R. Moussaoui et Weber.

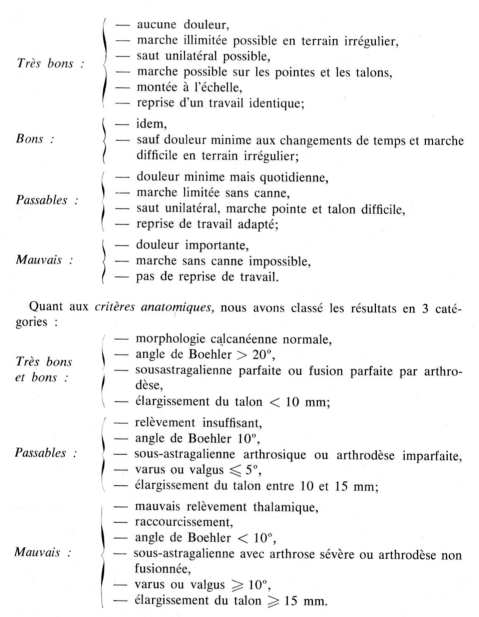

Très bons :
— aucune douleur,
— marche illimitée possible en terrain irrégulier,
— saut unilatéral possible,
— marche possible sur les pointes et les talons,
— montée à l'échelle,
— reprise d'un travail identique;

Bons :
— idem,
— sauf douleur minime aux changements de temps et marche difficile en terrain irrégulier;

Passables :
— douleur minime mais quotidienne,
— marche limitée sans canne,
— saut unilatéral, marche pointe et talon difficile,
— reprise de travail adapté;

Mauvais :
— douleur importante,
— marche sans canne impossible,
— pas de reprise de travail.

Quant aux *critères anatomiques,* nous avons classé les résultats en 3 catégories :

Très bons et bons :
— morphologie calcanéenne normale,
— angle de Boehler $> 20°$,
— sousastragalienne parfaite ou fusion parfaite par arthrodèse,
— élargissement du talon < 10 mm;

Passables :
— relèvement insuffisant,
— angle de Boehler $10°$,
— sous-astragalienne arthrosique ou arthrodèse imparfaite,
— varus ou valgus $\leqslant 5°$,
— élargissement du talon entre 10 et 15 mm;

Mauvais :
— mauvais relèvement thalamique,
— raccourcissement,
— angle de Boehler $< 10°$,
— sous-astragalienne avec arthrose sévère ou arthrodèse non fusionnée,
— varus ou valgus $\geqslant 10°$,
— élargissement du talon $\geqslant 15$ mm.

Résultats fonctionnels de 170 fractures unilatérales.

HISTOGRAMME 4. — *Résultats fonctionnels globaux et selon le type de 170 fractures unilatérales.*

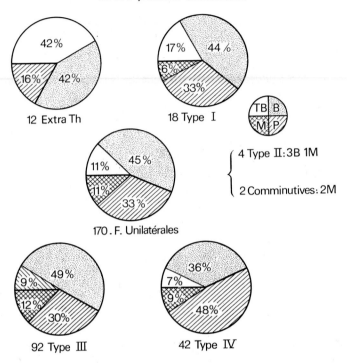

12 Extra Th

18 Type I

TB B
M P

4 Type II: 3B 1M

2 Comminutives: 2M

170 . F. Unilatérales

92 Type III

42 Type IV

Sur le total : 19 TB (11 %) et 76 B (45 %), soit 56 % de résultats satisfaisants; 56 P (33 %) et 15 M (11 %), soit 44 % de résultats non satisfaisants.

Dans les 12 fractures extrathalamiques, le résultat fonctionnel est TB ou B dans 84 % et moyen dans 16 %. Il n'y a pas de mauvais résultat.

Dans les 18 types I, 61 % de TB et B résultats. Un seul mauvais résultat.

Dans les 4 types II, 3 bons et un mauvais.

Dans les 92 types III, 58 % de TB et B, 11 mauvais résultats.

Dans les 42 types IV, 43 % de TB et B, 4 mauvais résultats.

Les 2 fractures comminutives ont donné 2 mauvais résultats.

Résultats fonctionnels selon le type de traitement.

La méthode orthopédique et la méthode fonctionnelle donnent 75 % de très bons et bons résultats dans les fractures extrathalamiques. L'ostéosynthèse est la meilleure méthode dans le type III bien que le $\chi^2 = 10,03$ ne soit pas significatif. Le chiffre de 16 très bons et bons résultats est supérieur au chiffre attendu : 11,5.

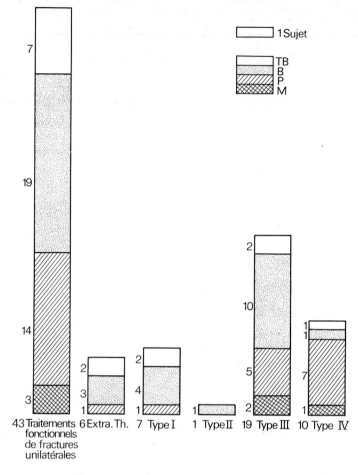

HISTOGRAMME 5. — *Résultats fonctionnels dans les traitements fonctionnels.*

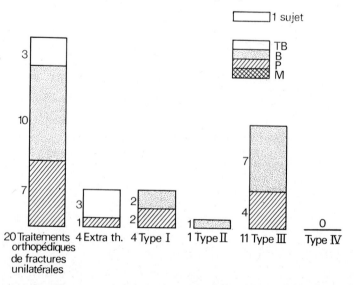

HISTOGRAMME 6. — *Résultats fonctionnels dans les traitements orthopédiques.*

HISTOGRAMME 7. — *Résultats fonctionnels dans les synthèses.*

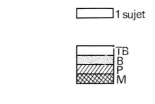

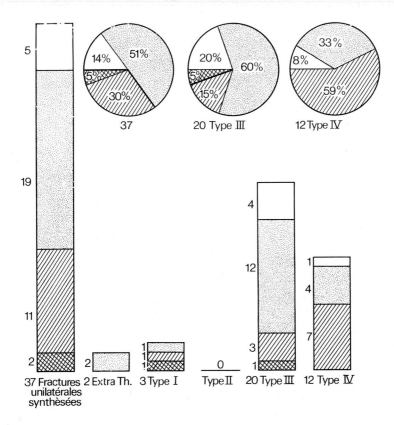

Dans le type IV l'ostéosynthèse est difficile.

La reconstruction arthrodèse donne le meilleur résultat fonctionnel dans le type IV bien que le $\chi^2 = 6,33$ ne soit pas significatif, le chiffre de 11 très bons et bons résultats est supérieur au chiffre attendu : 8,1.

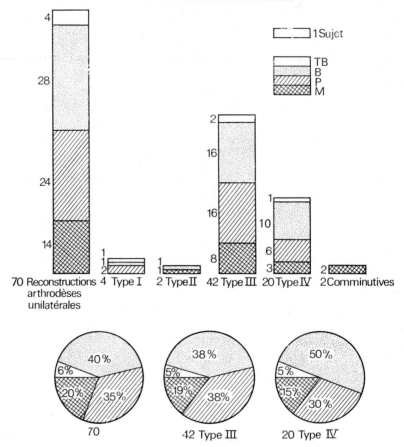

HISTOGRAMME 8. — *Résultats fonctionnels
dans les reconstructions-arthrodèses.*

Résultats fonctionnels selon le type d'enfoncement.

Dans le type III il n'y a pas de différence entre les résultats fonctionnels des enfoncements horizontaux ou verticaux ni entre les résultats fonctionnels des 1° et 2°. De même pas de différence entre les résultats des enfoncements partiels ou totaux.

Dans le type IV l'enfoncement horizontal donne de moins bons résultats que l'enfoncement vertical, l'enfoncement partiel donne de meilleur résultat que le total.

Les résultats morphologiques.

Classés en 3 catégories bons, moyens et passables. Nous associons les bons et moyens comme acceptables

— Selon le type de fracture :
  — dans le type I   75 % de bons et moyens sur   24 cas;
  — dans le type III   60 % de bons et moyens sur 107 cas;
  — dans le type IV   50 % de bons et moyens sur   53 cas;
— Selon le type d'enfoncement :
  — dans le type III :
      70 % de bons et moyens dans les enfoncements horizontaux,
      50 % de bons et moyens dans les enfoncements verticaux.
  — Dans le type IV :
      15 % de bons et moyens dans les enfoncements horizontaux,
      60 % de bons et moyens dans les enfoncements verticaux.
— Selon le degré d'enfoncement :
  — dans le type III 1° 90 % ⎞
                     2° 45 % ⎬ de bons et moyens résultats
  — dans le type IV 3° 50 %. ⎠

Relations entre résultats morphologiques et fonctionnels.

Résultats morphologiques.

		B	Moyens	M
TB		*11*	4	3
		3,8	7,3	6,9
B		15	*33*	28
		16	30,7	29,3
P		5	20	*25*
		10,6	20,2	19,2
M		3	8	6
		3,6	6,8	6,6

Résultats fonctionnels

Test du χ^2 significatif à 1 p. 1.000 montrant une corrélation entre la qualité des résultats morphologiques et celui des résultats fonctionnels.

Histogrammes de la douleur, de la marche et de l'amyotrophie.

Il nous semble intéressant de présenter 3 histogrammes de la douleur, de la marche, et de l'amyotrophie sur 170 fractures unilatérales revues.

Deux tiers des blessés n'ont pas de douleur ou quelques douleurs légères passagères. Près d'un tiers ont des douleurs à la marche prolongée, 7 blessés ont des douleurs permanentes.

HISTOGRAMME 9. — *Histogramme de la douleur
sur 170 fractures unilatérales revues.*

TB, aucune douleur; *B,* douleurs légères, passagères; *P,* douleurs à la marche prolongée; *M,* douleurs dès l'appui. Douleurs permanentes.

Quatre blessés sur cinq ont une marche acceptable, 11 % sont limités en
terrain plat, 10 blessés sont très invalidés.

HISTOGRAMME 10. — *Histogramme
de la marche
sur 170 fractures unilatérales revues.*

TB, marche normale, performante; *B,*
marche limitée en terrain irrégulier; *P,*
marche limitée en terrain plat; *M,* boiterie.
Marche très difficile.

L'amyotrophie du mollet atteint quatre blessés sur cinq. Dans près de la
moitié des amyotrophies elle ne dépasse pas 1 cm.

HISTOGRAMME 11. — *Histogramme de l'amyotrophie du mollet par rapport au côté sain sur 170 fractures unilatérales revues.*

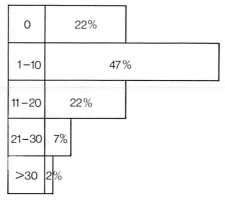

0 : pas d'amyotrophie; 1 à 10 mm; 11 à 20 mm; 21 à 30 mm; >30 mm.

Incapacité de travail temporaire.

Avec un traitement fonctionnel, elle a été de 8,47 mois.
Avec un traitement orthopédique, elle a été de 6,48 mois.
Avec un traitement chirurgical, elle a été de 6,53 mois.

Influence de l'association lésionnelle sur le résultat fonctionnel dans les 170 fractures unilatérales revues.

— Dans les 124 fractures isolées du calcanéum on obtient 61 % de très bons et bons résultats, 39 % de passables et mauvais.
— Dans les 12 fractures du calcanéum associées à une autre fracture du même pied, on obtient un très bon ou bon résultat sur deux.
— Dans les 34 fractures du calcanéum associées à une autre fracture en dehors du pied les très bons et bons résultats n'atteignent que 47 %.
Il est net que les associations lésionnelles aggravent le pronostic fonctionnel.

Fractures bilatérales.

Nous avons 33 fractures bilatérales soit 11,7 % du total des blessés victimes de fractures du calcanéum.
Sur ces 33 blessés, nette prédominance des hommes (27) sur les femmes (6).
Le nombre de travailleurs « en l'air » est de 22 soit 66 %. La moitié des

tentatives d'autolyse présente une fracture bilatérale des calcanéums. La hauteur de chute a été supérieure à 2 mètres dans 25 cas.

Les associations fracturaires sont plus fréquentes que dans les fractures unilatérales; 8 fractures du rachis lombaire soit le quart des cas, 4 fractures du membre inférieur dont une associée à une fracture du rachis et à une fracture du membre supérieur. Au niveau des pieds nous trouvons des fractures associées de l'astragale dans 3 cas, du cuboïde dans un cas, de la cheville dans un cas, du premier cunéiforme dans un cas.

Les lésions étaient extra thalamiques dans 7 cas et thalamiques dans 59 cas. Type I : 17. Type II : 3. Type III : 17 dont 11 verticaux et 6 horizontaux. Type IV : 18 dont 11 verticaux et 6 horizontaux, non précisés dans 4 cas.

La proportion d'enfoncements verticaux et horizontaux est la même que dans la statistique globale, par contre l'enfoncement est deux fois plus souvent total que partiel contrairement à la statistique générale.

Nous avons revu 29 blessés soit 87 % du nombre des blessés victimes de fracture bilatérale du calcanéum.

TABLEAU II. — *Traitements et résultats fonctionnels de 29 fractures bilatérales du calcanéum.*

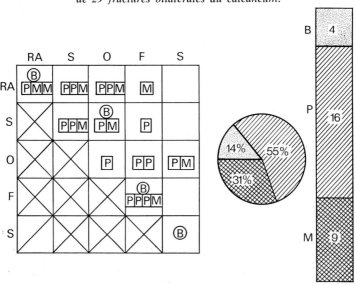

RA, reconstruction arthrodèse; S, synthèse; O, traitement orthopédique; F, traitement fonctionnel; S, traitement des séquelles.
B, bon résultat fonctionnel; P, résultat fonctionnel passable; M, résultat fonctionnel mauvais.

Le même traitement a été appliqué aux 2 côtés dans 14 cas dont 8 chirurgicalement. Au total 15 reconstructions arthrodèses, 13 synthèses, 12 traitements orthopédiques et 14 traitements fonctionnels et 4 traitements des séquelles.

Les résultats sont mauvais puisque sur 29 blessés revus on a aucun très bon résultat et seulement 4 bons résultats soit 14 % de satisfaisants et 86 % de résultats passables ou mauvais (16 passables — 9 mauvais).

La fracture bilatérale dans nos résultats confirme sa mauvaise réputation.

Fractures du calcanéum chez l'enfant.

Nous avons retrouvé 16 cas de fractures du calcanéum dans le Service de G. Laurence à l'Hôpital Bretonneau de Paris, petit nombre de cas en plus de 10 ans d'hospitalisation. Comme chez l'adulte, grande proportion de garçons (14) et seulement 2 filles. L'âge moyen était de 11 ans, le plus jeune avait 5 ans. La majorité des fractures se situe entre 11 et 15 ans. Il n'y a pas de prédominance de côté, 8 gauches, 8 droits.

Sur ces 16 fractures du calcanéum, *6 étaient extrathalamiques* dont 5 fractures totales de la tubérosité postérieure et 1 fracture du noyau épiphysaire.

Sur les 10 fractures thalamiques, 4 type I frontale, 3 type III (à enfoncement vertical) (une 1°, deux 2°), 3 type IV à enfoncement vertical.

Lésions associées du même pied, 3 fractures de métatarsiens, 1 fracture de l'astragale. Fait important : 4 lésions vasculaires et 4 ouvertures soit le quart des cas.

Parmi les blessés, il faut noter deux polyfracturés des membres inférieurs avec deux fractures de jambe et une fracture du fémur et deux fractures du rachis lombaire.

Traitement des fractures extrathalamiques.

— 3 fractures totales de la tubérosité postérieure fermées ont été traitées par 2 plâtres de Graffin pendant 30 et 45 jours et une méthode fonctionnelle, avec 3 bons résultats;

— 2 fractures totales de la tubérosité postérieure ouvertes :
  — l'une chez un enfant de 5 ans polytraumatisé avec lésions vasculaires et fracture de jambe. Traitement orthopédique. Résultat moyen à 2 ans sans ostéite.
  — l'autre chez un enfant de 11 ans avec luxation exposée de l'astragale + fracture du fémur + fracture de jambe; Traitement orthopédique. Résultat moyen à 4 ans sans ostéite.

— 1 fracture du noyau épiphysaire chez un enfant de 12 ans plâtrée 1 mois par Graffin. Bon résultat.

Dans les fractures extrathalamiques, 4 bons résultats et 2 moyens malgré les lésions associées et les lésions vasculaires.

Traitement des fractures thalamiques.

4 type I :
— 3 fermées, traitées orthopédiquement (30-40 jours de plâtre), 3 bons résultats;
— 1 fracture ouverte, aponévrotomie, greffes cutanées, méthode fonctionnelle, bon résultat à 7 ans.

3 type III à enfoncement vertical :
1. 1er degré : plâtre de Graffin 45 jours, bon résultat à 2 ans;
2. 2e degré :
    a) Plâtre de Graffin 50 jours. Résultat moyen à 6 mois.
    b) Fracture ouverte avec lésions vasculaires. Parage de la plaie. Aponévrotomie. Pas de geste osseux, pas de plâtre. Traitement fonctionnel. Résultat moyen à 12 mois.

3 type IV avec enfoncement vertical :
11 ans : ostéosynthèse + greffons Peters : résultat moyen à 7 ans;
14 ans : plâtre Graffin 40 jours : résultat mauvais à 18 mois;
14 ans : tentative de Gosset par poinçon et plâtre de Graffin : résultat mauvais à 6 mois, cal vicieux majeur.

Dans les fractures thalamiques : 5 bons résultats, 3 moyens, 2 mauvais.

Conclusion. — Le plâtre de Graffin 30 à 40 jours est le mode de traitement habituel sans réduction ni modelage car les troubles de compression sont rapides chez l'enfant et le remodelage de la sous-astragalienne habituelle chez le jeune enfant. L'appui chez le jeune enfant peut être autorisé dans les premiers jours. Chez l'enfant de 14 ans, les indications thérapeutiques doivent rejoindre celles de l'adulte pour éviter les mauvais résultats.

CRITIQUE DES DIFFÉRENTES MÉTHODES

Avant d'aborder le redoutable problème des indications du traitement des fractures du calcanéum, il importe de soumettre les méthodes proposées à une critique sévère. Chacune d'elles comporte en effet des avantages et des inconvénients déjà évoqués lors de leur description et que nous allons résumer.

Le traitement fonctionnel a pour principal et indiscutable avantage celui de l'innocuité : pas de troubles de la cicatrisation, pas d'infection des parties molles, pas d'ostéite. Il fait fi de la forme et ne vise que la restitution de la fonction. Certains de ses thuriféraires ne seraient pas loin de penser que les tenants de méthodes plus actives feraient l'impasse inverse ce qui est faux car ces derniers pensent au contraire, que la restauration anatomique ne peut qu'améliorer la fonction. Et c'est bien là le reproche majeur qu'il faut adresser à ce mode de traitement : l'abandon des principes fondamentaux du traitement des fractures basé sur la réduction et la contention jusqu'à la consolidation. Il faut ajouter le coût de la méthode, imposant le plus souvent un séjour prolongé en centre de rééducation fonctionnelle, condition presque *sine qua non* de sa réalisation correcte.

Le traitement orthopédique jouit en règle d'une réputation d'innocuité. Ce n'est pas tout à fait vrai dans le cas des fractures du calcanéum car nous avons vu les réels dangers d'ostéite que comporte l'introduction des broches et des clous. Ils peuvent toutefois être minimisés par une asepsie rigoureuse. L'immobilisation plâtrée est la cible de critiques convergeantes : facteur de raideur, d'ostéoporose, de troubles trophiques, d'amyotrophie sans parler de l'inconfort. Ces critiques sont à la mode car il existe depuis deux ou trois décades un véritable conformisme antiplâtre et malheur à celui qui ne hurle pas avec les loups ! En réalité ces objections manquent de discernement car même sans l'apport de l'appui précoce, le plâtre correctement appliqué, bien surveillé, maintenu en place pour une durée adaptée et raisonnable, n'est pas l'unique responsable de tous ces maux, le plus souvent réversibles et qui peuvent tout autant survenir en son absence. Et il est de bon ton de ne pas rappeler ses bienfaits : immobilisation correcte garante d'une consolidation rapide, prévention des attitudes vicieuses, de l'œdème, rôle antalgique indiscutable, possibilité de mise en charge précoce qui constitue la meilleure prévention ou le moyen de lutte le plus adapté contre l'ostéoporose et l'algodystrophie; en dernière analyse il assure au blessé un plus grand confort ou un moindre inconfort que le béquillage sans appui.

En réalité le reproche principal qu'il faut faire au traitement orthopédique ainsi qu'au R.E.F.F. est son imprécision et son incapacité, dans le cas de fracture thalamique, articulaire, à restaurer des surfaces parfaitement congruentes. On retrouve ici une loi générale du traitement des fractures articulaires, dont la restauration anatomique parfaitement précise, est un but que seule la réduction sanglante est censée réaliser.

Est-ce à dire que la chirurgie sous la forme de *l'ostéosynthèse* peut à coup sûr être créditée d'un tel avantage ? Certes elle met les moyens les plus efficaces à notre disposition pour réaliser un tel objectif. Mais la complexité des fractures du calcanéum trace une limite aux belles reconstructions et la chirurgie est impuissante face aux lésions cartilagineuses graves. C'est ainsi que la rançon tant des traitements orthopédiques que chirurgicaux, sera encore trop souvent l'arthrose douloureuse et enraidissante de l'articulation sous-astragalienne.

Quant à *l'arthrodèse* sous ses différentes formes, elle a le mérite d'offrir une solution radicale au problème de l'arthrose. Le sacrifice de la mobilité n'est pour ses partisans pas un prix prohibitif à l'obtention d'une fonction indolore alors que ses adversaires professent l'opinion inverse. Dans sa forme immédiate ou précoce, elle règle le problème « dans la foulée » évitant au blessé une hospitalisation ultérieure avec nouvelle incapacité d'au moins trois ou quatre mois.

Dans sa forme secondaire ou tardive, et dans la mesure où la fracture aura été, ne serait-ce qu'approximativement réduite, elle a le mérite de ne s'adresser qu'aux seuls cas posant un problème au long cours. Le nombre relativement réduit d'arthrodèses secondaires représente d'ailleurs un argument de poids contre l'arthrodèse primitive. Cet argument est même difficilement réfutable, l'hésitation et la répugnance des malades à se faire réopérer tardivement n'étant qu'une explication incomplète. Il faut donc bien admettre, que nombre d'arthroses douloureuses sont à la longue bien tolérées. La raison de cette adaptation progressive — nos contrôles tardifs nous l'ont souvent montré — est l'évolution vers un enraidissement complet fibreux voire osseux, réalisant une arthrodèse spontanée. L'arthrodèse primitive ou précoce prend donc les devants et évite au blessé plusieurs années de marche douloureuse.

L'arthrodèse secondaire sur fracture thalamique non réduite ou l'ostéotomie des cals vicieux risquent pour leur part de n'apporter qu'une solution partielle aux troubles statiques globaux qui se seront développés au niveau de l'ensemble du pied.

Par ailleurs la chirurgie n'est pas sans dangers en particulier les troubles de la cicatrisation, l'algodystrophie et l'infection sans parler des dangers généraux dont ceux liés à l'anesthésie sont partagés avec les thérapeutiques orthopédiques comportant une réduction.

Enfin il faut insister sur ses réelles difficultés de réalisation, un chirurgien non entraîné ne devant pas se lancer inconsidérément dans ces interventions.

TABLEAU-RÉSUMÉ

	Avantages	*Inconvénients*
Méthode fonctionnelle	Innocuité. Privilégie la fonction.	Néglige la restauration anatomique. Cals vicieux, retentissement statique. Arthrose.
Méthode orthopédique et REFF	Redonne une forme globale acceptable.	Réduction souvent imprécise des fractures articulaires. N'évite pas l'arthrose. Danger d'ostéite.
Ostéosynthèse	Redonne une forme la plus anatomique possible. Crée les conditions de base à une fonction.	Reste dans certains cas imprécise. Impuissante face aux lésions cartilagineuses graves. N'évite pas l'enraidissement et l'arthrose sous-astragalienne.
Reconstruction arthrodèse primitive	Solution radicale du problème de l'arthrose et du retentissement statique.	Sacrifice de la mobilité sous-astragalienne.

INDICATIONS GÉNÉRALES

L'étude des différentes statistiques montre de façon indiscutable que celles qui se proposent d'évaluer une méthode particulière pêchent toutes pas excès d'enthousiasme. Qu'il s'agisse de méthodes aussi différentes que le traitement

purement fonctionnel, les réductions à foyer fermé et les interventions
sanglantes, elles affichent toutes les mêmes résultats en général très bons et
bons ! Leur prise en considération aveugle risquerait d'aboutir à des indications
basées sur des *a priori* doctrinaux.

Nous pensons que notre propre statistique échappe en partie à cet écueil
car elle est disparate « panachant » deux voire trois expériences très différentes
(Strasbourg, Paris et très partiellement Colmar). Son manque d'homogénéité
nous semble être un garant de plus grande impartialité, chaque méthode étant
jugée en fonction des cas auxquels elle a été appliquée et non en fonction des
préférences personnelles. Elle nous autorise à fixer les grandes lignes des
indications thérapeutiques :

Fondamentalement — et c'est là notre seul *a priori* doctrinal — nous nous
déclarons partisan d'un traitement actif des fractures du calcanéum. Il n'existe
à notre avis aucune raison d'abandonner pour elles les principes de traitement
de toutes les fractures basés sur la réduction et l'immobilisation stricte jusqu'à
consolidation. Les difficultés pratiques de réalisation et les aléas des résultats
doivent être des stimulants à la recherche permanente d'une amélioration des
méthodes.

En pratique nos *indications des différentes méthodes* sont schématiquement :
— la méthode purement fonctionnelle et l'immobilisation plâtrée simple
    doivent être réservées aux fractures pas ou peu déplacées et aux fractures
    déplacées sur terrain déficient;
— la réduction orthopédique est indiquée pour certains types de fracture
    bien particuliers : fracture totale de la tubérosité postérieure et fracture
    luxation type 2;
— les méthodes chirurgicales ont notre préférence sur la réduction selon
    Boehler — Westhues ou le R.E.F.F. lorsque le déplacement est impor-
    tant et le terrain favorable :
    — ostéosynthèse sans arthrodèse pour les fractures avec lésions cartila-
        gineuses peu importantes,
    — reconstruction arthrodèse pour les fractures avec lésions cartila-
        gineuses importantes.

Seule l'intervention permet d'apprécier avec exactitude ces lésions du
cartilage qui conditionnent très fortement l'indication. Par le passé nous
pensions qu'elle peuvent à elles seules justifier l'arthrodèse même quand le
déplacement osseux est peu important (fig. 77). A l'heure actuelle nous
estimons que l'arthrodèse primitive doit découler de la conjonction des lésions
osseuses et cartilagineuses.

Nos *indications selon le type de fracture* sont les suivantes :

Fractures parcellaires :
— fractures de l'angle postérosupérieur non déplacée : botte plâtrée en
    équin six semaines. Appui précoce;
— fracture de l'angle postérosupérieur déplacée : vissage ou brochage.
    Botte plâtrée de marche six semaines;

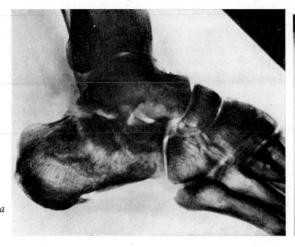
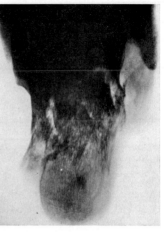

a   *b*

FIG. 77. — *Exemple d'indication difficile.*

Fracture-séparation type 3 verticale 1er degré : *a)* profil; *b)* axial. Le déplacement osseux est faible et autoriserait le choix d'un traitement par plâtre de Graffin.

Mais le cliché axial montre la comminution du thalamus. L'intervention risque de faire découvrir des lésions cartilagineuses importantes pouvant éventuellement justifier une arthrodèse primitive.

Dans ce cas, ce sont la discrète incongruence des fragments, le terrain déficient et l'âge qui ont fait opter pour le plâtre de Graffin.

— fractures du tubercule postéro-interne : plâtre de Graffin quatre à six semaines. Appui précoce;

— fracture totale de la grosse tubérosité : réduction orthopédique par traction avec fixation par vissage ou brochage percutané, ou R.E.F.F., plâtre de Graffin six semaines. Appui précoce.

Fractures thalamiques et périthalamiques :

Type 1 sagittal ou transversal sans déplacement :

Plâtre de Graffin six à huit semaines. Appui précoce. Traitement purement fonctionnel si mauvais terrain.

Avec déplacement : réduction sanglante, vissage plâtre de Graffin six à huit semaines. Appui précoce.

Type 2 : réduction orthopédique par manœuvres manuelles ou par traction sur broche éventuellement complétée par vissage transversal qui peut être percutané; plâtre de Graffin six à huit semaines. Appui précoce.

C'est la meilleure indication du traitement orthopédique. La réduction sanglante + vissage n'est réservée qu'aux échecs des manœuvres orthopédiques en particulier en cas d'incarcération du tendon fléchisseur propre du gros orteil. Dans ce cas, une voie d'abord interne doit être utilisée.

Ce type de fracture doit toujours être réduit.

Le traitement purement fonctionnel est contre-indiqué.

Type 3 : 1er degré quelle que soit la variété : indication la plus difficile car on peut hésiter entre :

— traitement fonctionnel;
— traitement orthopédique avec plâtre de Graffin;
— traitement chirurgical car l'intervention réserve assez souvent des surprises.

Discuter chaque cas particulier en tenant également compte du terrain (fig. 77).

Type 3 : 2e et 3e degré et *type 4.*

Traitement chirurgical : en principe ostéosynthèse pour les enfoncements globaux et les traits de fracture articulaires simples et uniques, la reconstruction arthrodèse n'étant décidée qu'après bilan des lésions et constatations de lésions cartilagineuses importantes et d'une réduction des fragments insuffisante.

Le traitement fonctionnel est réservé aux terrains très déficients.

Fracture comminutive en tampon de buvard :
— R.A. avec greffe de soutènement, abstention si lésions extrêmes.

Indications du traitement des complications des fractures du calcanéum :
Ostéoporose, troubles trophiques, algodystrophie, mise en charge précoce, traitement fonctionnel, contention élastique, traitement médicamenteux.

Arthrose sous-astragalienne : arthrodèse sous-astragalienne secondaire après échec du traitement conservateur.

Cals vicieux :

— saillies isolées en particulier externe ou postéro-supérieure : résection à la demande;

— cals vicieux :
    — sur fracture de type 2 : ostéotomie réduction tardive arthrodèse;
    — sur fracture type 3 et 4 et fracture comminutive avec pied-plat post-traumatique : arthrodèse sous-astragalienne secondaire avec greffe : méthode la plus sûre;
    ostéotomie des cals avec ou sans arthrodèse; double, voire triple arthrodèse dans les séquelles complexes retentissant sur l'ensemble du pied et du cou-de-pied.

Ostéite post-traumatique :

— ostéite localisée : excision curetage complétée par billes à la Gentalline ou Papineau;
— ostéite partielle : calcanectomie subtotale;
— ostéite totale : calcanectomie totale;
— ostéite étendue aux autres os du tarse : calcanectomie totale élargie ou amputation.

Les indications chez l'enfant, les polytraumatisés, en cas de fracture de fatigue et de pied de mine ont été discutées aux chapitres qui leur sont consacrés.

4

CONCLUSIONS

Tel est le portrait de la fracture du calcanéum que nous avons voulu précis, fouillé, documenté, lucide et sans fard.

Certes il est ingrat et singulier. Mais n'en est-il pas de même pour chaque fracture articulaire dans son site particulier ?

Les lésions sont complexes et difficilement analysables. Sont-elles simples au niveau du pilon tibial, des tubérosités tibiales, de la palette humérale ? De même pour l'enraidissement, l'arthrose post-traumatique, le retentissement statique, l'ostéoporose et la fibrose. D'autres fractures en sont indemnes mais paient un plus lourd tribut à la nécrose, à la pseudarthrose, complications qui à tout prendre ne sont pas préférables.

Par ailleurs des progrès sont en cours; même ponctuels, et de détail, leur conjonction fait avancer le problème :

— l'appui précoce, fait régresser l'importance de l'ostéoporose et de l'algodystrophie;

— l'intervention précoce minimise les troubles de la cicatrisation;

— l'amplificateur de brillance permet aux partisans de la réduction ortho-pédique des manœuvres de réduction plus précises et dans de bonnes conditions d'asepsie;

— l'ostéosynthèse s'est perfectionnée tendant à des montages stables qui permettent la rééducation plus précoce en supprimant la nécessité du plâtre pour les uns et pour nous en modifiant la confection du plâtre de Graffin. Il devrait en résulter une diminution des raideurs sous-astra-galiennes résiduelles;

— la méthode fonctionnelle pure a pour sa part fait progresser la rééduc-ation de ces fractures;

— chirurgie, orthopédie, médecine physique ayant chacune pour sa part fait quelques pas en avant, un progrès plus global pourrait à présent venir d'une meilleure coordination entre ces différentes méthodes.

Mais certains problèmes restent mal maîtrisés ou mal connus :

— la théorie du mécanisme devrait être vérifiée expérimentalement;

— les notions de terrain, de qualité de tissus sont quasiment inconnues qui font que les plus nombreux s'enraidissent, fabriquent de la fibrose, de l'œdème, de l'ostéoporose alors que d'autres, plus rares, y échappent.

Les indications restent trop basées sur des *a priori* doctrinaux et des préférences personnelles. Des travaux statistiques sur de grandes séries strictement comparables et suivies au long cours devraient permettre d'appuyer des affirmations encore insuffisamment fondées, quant à la valeur des différentes méthodes, sur des chiffres indiscutables.

Dans bien des domaines, le rapport sur les fractures du calcanéum reste encore à faire.

DOCUMENT ANNEXE N° 1

CLASSIFICATION DE L. BOEHLER EN 8 GROUPES

1. Fractures de l'extrémité supérieure de la grosse tubérosité du calcanéum. Fractures en bec de canard.
2. Fractures de l'apophyse interne de la tubérosité postérieure du calcanéum avec ou sans déplacement.
3. Fractures isolées du sustentaculum tali.
4. Fracture du corps du calcanéum sans déplacement des surfaces articulaires par rapport à l'astragale.
5. Fractures du corps du calcanéum avec luxation de la partie externe de la surface articulaire postérieure par rapport à l'astragale.
6. Fractures du corps du calcanéum avec luxation de toute la surface articulaire postérieure par rapport à l'astragale.
7. Fractures du corps du calcanéum avec luxation de la partie externe de la surface articulaire postérieure par rapport à l'astragale et subluxation concomitante entre la tête de l'astragale et le scaphoïde et entre la partie antérieure du calcanéum et le cuboïde (articulation de Chopart).
8. Fractures du corps du calcanéum avec broiement de l'apophyse antérieure et luxation de cette dernière par rapport au cuboïde.

CLASSIFICATION DE BOPPE ET PAITRE

GROUPE I. — *Fractures extrathalamiques :*

⊛ De la grosse tubérosité :

1. Parcellaires :

a) de l'angle postéro-supérieur :
— en bec de canard;
— basse par arrachement;

b) de la face postérieure;

c) de l'angle postéro-inférieur :
— fracture en coin,
— décollement épiphysaire,
— fracture écailleuse.

2. Totales : fractures transversales, tubérositaires postérieures.

• De la grande apophyse :

1. Isolées : fractures du bec.

2. Associées :
a) fractures du col,
b) fractures comminutives.

• De la petite apophyse :

1. Isolées.
2. Associées.

GROUPE II. — *Fractures juxtathalamiques :*

1. Fractures rétrothalamiques.
2. Fractures préthalamiques.

GROUPES III. — *Fractures thalamiques :*

1. Sans enfoncement : fractures transversales sous-thalamiques.

2. Avec enfoncement :
a) horizontal :
— du segment externe,
— total;
b) vertical :
— du segment externe,
— total;
c) complet :
— a double trait,
— comminutif.

GROUPES IV. — *Fractures associées :*

1. Avec le col de l'astragale.
2. Avec la malléole externe.
3. Avec l'apophyse du 5e métatarsien.

CLASSIFICATION DE R. WATSON-JONES

Fractures du calcanéum n'atteignant pas l'articulation sous-astragalienne :
1. Fracture verticale de la tubérosité.
2. Fracture horizontale de la tubérosité.
3. Fracture du sustentaculum tali.
4. Fracture de l'extrémité antérieure du calcanéum.

Fractures du calcanéum atteignant l'articulation sous-astragalienne :

5. Fracture au voisinage de l'articulation sous-astragalienne mais ne l'intéressant pas.
6. Fracture avec déplacement de la partie externe de l'articulation sous-astragalienne.
7. Fracture avec écrasement central de toute l'articulation sous-astragalienne.

CLASSIFICATION DE P. ESSEX LOPRESTI

Fractures n'atteignant pas l'articulation sous-astragalienne :

1. Fractures de la tubérosité :
   — fracture en bec de canard;
   — fracture par arrachement du bord interne;
   — fracture verticale;
   — fracture horizontale.
2. Fractures atteignant l'articulation calcanéo-cuboïdienne :
   — fractures en bec de perroquet;
   — variées.

Fractures atteignant l'articulation sous-astragalienne :

   — fractures sans déplacement;
   — fractures en soufflet avec déplacement;
   — enfoncement centro-latéral de l'articulation;
   — fracture isolée du sustentaculum tali;
   — fracture comminutive.

CLASSIFICATION DES FRACTURES DU CALCANÉUM DE C. K. WARRICK ET A. E. BREMNER

GROUPE I :

   — Fracture isolée du bec de la grande apophyse.
   — Fracture isolée du sustentaculum tali.
   — Fractures de la grosse tubérosité :
      — fracture en bec de canard,
      — fracture verticale.

GROUPE II. — *Fractures séparation enfoncement :*

1. Avec séparation de l'os en 2 fragments principaux seulement :
   — atteignant mais ne déplaçant pas la surface articulaire postérieure;
   — atteignant la surface articulaire postérieure avec déplacement externe du fragment principal externe;
   — avec diminution de l'angle de Boehler mais sans atteinte de la surface articulaire postérieure.

2. Avec séparation de l'os en deux fragments principaux et enfoncement du fragment principal externe :
   — Fracture avec déplacement de la partie externe de la surface articulaire postérieure : type 1 et type 2.
   — Fracture avec déplacement de toute la surface articulaire postérieure : type 1 et type 2.

CLASSIFICATION DE C. R. ROWES, H. T. SAKELLARIDES, P. A. FREEMAN ET C. SORBIE

TYPE 1 : Fractures de la grosse tubérosité.
         Fractures du sustentaculum tali.
         Fractures du bec de la grande apophyse.

TYPE 2 : Fracture en bec de canard.
         Fractures arrachement de l'insertion du tendon d'Achille.

TYPE 3 : Fractures obliques n'atteignant pas l'articulation sous-astragalienne.

TYPE 4 : Fractures atteignant l'articulation sous-astragalienne.

TYPE 5 : Fractures comminutives avec enfoncement central.

CLASSIFICATION SELON JIMENO VIDAL

TYPE 1. — Fracture parcellaire sans participation articulaire.

TYPE 2. — Fracture enfoncement avec participation articulaire réduite.

TYPE 3. — Fracture enfoncement avec participation articulaire étendue.

DOCUMENT ANNEXE N° 2

CENTRE DE TRAUMATOLOGIE ET D'ORTHOPEDIE

CODIFICATION DES FRACTURES DU CALCANEUM

NOM DU MALADE : _____

		JJMMAA si inconnue codifier la date de l'admission	DATE DE L'ACCIDENT
		cadrer à gauche	N° DU DOSSIER
01	0 1 2	inconnu droit gauche	01 COTE (1)
02		JJMMAA inconnue = 000000	02 DATE DE NAISSANCE
03	0 1 2	inconnu masculin féminin	03 SEXE (1)
04	0 1 2 3 4 5 6 9	inconnue sans sédentaire salarié ambulatoire salarié non ambulatoire travail sur échelle - échafaudage - construction profession libérale autre	04 PROFESSION ANTERIEURE (n)
05	0 1 2 3 4 5 6	inconnu normal malformation congénitale séquelles traumatiques déformations rhumatismales troubles trophiques ostéoporose toute origine	05 ETAT ANTERIEUR DU PIED (n)
06	0 1 2 3 4 5 6 9	inconnues travail trajet accident voie publique sport domestique autolyse autre	06 CIRCONSTANCES (n)
07	0 1 2 3 4 5 9	inconnu chute inférieure à 50 cm chute de 0,5 à 1 m chute de 1 à 2 m chute supérieure à 2 m choc direct autre	07 MECANISME (1)

08	0	inconnue	08 ASSOCIATION FRACTURAIRE
	1	aucune	EN DEHORS DU PIED
	2	fracture étagée même membre inférieur	(n)
	3	fracture membre inférieur controlatéral	
	4	fracture membre supérieur	
	5	thorax + fracture colonne	
	6	traumatisme crânien	
	7	traumatisme viscéral	
	9	autre	
09	0	inconnue	09 ASSOCIATION FRACTURAIRE
	1	aucune	DU MEME PIED
	2	astragale	(n)
	3	cuboïde	
	4	cheville	
	5	métatarsien	
	9	autre	
10	0	inconnu	10 ETAT CUTANE A L'ADMISSION
	1	normal	(n)
	2	ecchymose	
	3	oedème ++	
	4	dermabrasions	
	5	phlyctènes	
	6	ouverture	
	9	autre	
11	1	parcellaire voir 12	11 FRACTURES
	2	thalamique et juxtathalamique voir 13	(1)
12	1	grosse tubérosité angle post. supérieur	12 FRACTURES PARCELLAIRES
	2	grosse tubérosité angle post. inférieur	(n)
	3	grosse tubérosité totale	
	4	petite apophyse	
	5	grande apophyse : bec	
	6	" " : col	
13	1	Type I voir 14 puis aller à 20	13 FRACTURE THALAMIQUE
	2	Type II aller à 20	ET JUXTATHALAMIQUE
	3	Type III voir 15 - 16 - 17 puis aller à 20	(1)
	4	Type IV voir 18 - 19	
14	1	Sous-thalamique trait transversal	14 TYPE I = FRACTURE
	2	Thalamique à trait sagittal interne	SEPARATION A 2
	3	médian	FRAGMENTS
	4	externe	(1)
15	1	vertical	15 TYPE III SELON LE SENS
	2	horizontal	D'ENFONCEMENT
	3	mixte	(1)

16	1 2	partiel total	16 TYPE III SELON L'ETENDUE DE L'ENFONCEMENT (1)
17	1 2	1er degré 2ème degré	17 TYPE III SELON LE DEGRE DE L'ENFONCEMENT (1)
18	1 2 3	vertical horizontal mixte	18 TYPE IV SELON LE SENS D'ENFONCEMENT (1)
19	1 2	partiel total	19 TYPE IV SELON L'ETENDUE (1)
20 [, ,]		en degrés (de - 60 à + 60) Inconnu = + 99	20 ANGLE DE BOHLER
21 [ ]	0 1 2 3 4 9	inconnu chirurgical orthopédique fonctionnel chirurgie séquelles autre	21 NATURE DU TRAITEMENT (n)
22 [, , , ,]		JJMMAA si pas hospitalisé : codifier 000000	22 DATE DE SORTIE
23	0 1 2	inconnue R.A. synthèse	23 NATURE DE L'INTERVENTION PRIMITIVE (1)
24 [, , , ,]		JJMMAA si inconnue 999999	24 DATE DE L'INTERVENTION
25	0 1 2 3 9	inconnue pas de traitement surélévation plâtre autre	25 INSTALLATION PRE-OP. (n)
26	0 1 2 9	inconnue externe rectiligne externe incurvée autre	26 VOIE D'ABORD (n)
27	0 1 2 3 4 5 9	pas de données pas d'ouverture ouverture gaine du court ouverture gaine du long ouverture des 2 gaines section peroniers ouverture d'une ou plusieurs gaines sans précision	27 GAINE DES PERONIERS (1)

28	0	inconnu	28 GARROT PNEUMATIQUE
	1	oui	(1)
	2	non	
29	0	inconnu	29 DRAINAGE
	1	pas de drainage	(1)
	2	Redon	
	9	autre	
30	0	pas de données	30 GREFFON
	1	pas de greffon	(1)
	2	greffe iliaque	
	3	greffe tibiale	
	4	hétérogreffe lyophylisée	
	9	greffe d'origine non précisée	
31	0	pas de données	31 FIXATION COMPLEMENTAIRE
	1	pas de fracture préthalamique	D'UNE FRACTURE
	2	fracture préthalamique non fixée	PRETHALAMIQUE
	3	2 broches	(n)
	4	1 vis	
	9	autre	
32	0	inconnue	32 R.A. FIXATION TRANSVER-
	1	pas de fixation	SALE
	2	1 vis	(n) à remplir si 231
	3	1 broche	ou 352
	4	plusieurs vis	
	9	autre	
33	0	inconnue	33 R.A. FIXATION DE
	1	clou Steinman	L'ARTHRODESE
	2	2 broches	(n) à remplir si 231
	3	1 vis spongieuse	ou 352
	9	autre	
34	0	inconnu	34 SYNTHESE MATERIEL
	1	broches	UTILISE
	2	vis	(n) à remplir si 232
	3	agrafes	ou 351
	4	plaque	
	5	cerclage	
	9	autre	
35	0	nature inconnue	35 CHIRURGIE SEQUELLES
	1	ostéotomie cals remplir 34	(1)
	2	R.A. secondaire remplir 32 - 33	
	9	autre	
36	0	inconnus	36 ANTICOAGULANTS
	1	aucun	(n)
	2	calciparine	
	3	antivitamine K	
	9	autre	

37	0	pas de données	37 ANTIBIOTIQUES
	1	pas d'antibiotique post. op.	(1)
	2	antibiotiques systématiques	
	3	antibiotiques sur inquiétude	
	4	antibiotiques sur certitude (antibiogramme)	
38		JJMMAA	38 DATE ABLATION DU DERNIER PLATRE
39		JJMMAA	39 DATE DE L'AUTORISATION D'APPUI EN PLATRE
40		JJMMAA si inconnue = 999999	40 DATE DE L'APPUI HORS PLATRE
41	0	inconnu	41 TYPE DE PLATRE A LA SORTIE DE L'HOPITAL
	1	cruro	
	2	botte	(1)
	3	graffin	
	9	autre	
42	0	inconnues	42 COMPLICATIONS CUTANEES
	1	aucune	(n)
	2	phlyctènes	
	3	désunion - retard cicatrisation	
	4	nécrose	
	9	autres	
43	0	pas de données	43 COMPLICATIONS SEPTIQUES
	1	aucune	(n)
	2	sepsis parties molles	
	3	sepsis osseux	
	9	autres	
44	0	pas de données	44 AUTRES COMPLICATIONS OSSEUSES
	1	aucune	
	2	déplacement secondaire	(n)
	3	absence consolidat. calcanéum	
	4	absence consolidation arthrodèses	
	5	nécrose calcanéum	
45	0	pas de données	45 ALGODYSTROPHIE : FORMES CLINIQUES
	1	pas d'algodystrophie	
	2	localisée : forme douloureuse pure	(1)
	3	" forme oedémateuse	
	4	extensive : forme extensive unilatérale	
	5	" : forme extensive bilatérale	
46	0	pas de données	46 ALGODYSTROPHIE : FORMES RADIOLOGIQUES
	1	pas de raréfaction ostéoporose hétérogène	
	2	- microgéodique	(1)
	3	- géodique ostéoporose homogène	
	4	- régulière banale	
	5	- aspect peigné	
	6	- aspect vitrifié	

47	0	pas de données	47 COMPLICATIONS GENERALES
	1	aucune	(n)
	2	phlébite suspectée	
	3	phlébite avérée	
	4	embolie	
	5	décès	
	9	autre	
48	0	pas de données	48 COMPLICATIONS SUR PRISE
	1	aucune	DE GREFFE
	2	sepsis superficiel	(n) à remplir si 302, 303 ou
	3	sepsis profond	309
	4	complication mécanique	
	5	douleurs résiduelles	
49	0	pas de données	49 COMPLICATIONS NERVEUSES
	1	aucune	SAPHENE EXTERNE
	2	anesthésie	(n)
	3	névrome	
	9	autre	
50	0	pas de données	50 COMPLICATIONS DUES AU
	1	aucune	PLATRE
	2	escarre	(n)
	9	autre	
51	0	pas de données	51 COMPLICATIONS LIEES AU
	1	aucune	MATERIEL DE SYNTHESE
	2	débricolage	(n)
	3	expulsion	
	9	autre	
52	0	pas de données	52 TRAITEMENT DES COMPLICATIONS
	1	excision greffe	CUTANEES
	2	cicatrisation dirigée	(n) à remplir si 422 - 429
			ou 432 - 439
	9	autre	
53	0	inconnu	53 TRAITEMENT DE L'INFECTION
	1	ablation matériel	OSSEUSE
	2	curetage	(n) à remplir si 433
	3	curetage + billes	
	4	calcaneectomie	
	5	amputation	
	9	autre	
54	0	inconnu	54 TRAITEMENT DE
	1	massages	L'ALGODYSTROPHIE
	2	hydromassages	(n) à remplir si 452 - 455
	3	vasodilatateurs	
	4	griséofulvine	
	5	calcium - Ph.	
	6	calcitar	
	7	milieu thermal	
	9	autre	

55		JJMMAA Si pas de révision : mettre 000000 et ne pas codifier la suite	55 DATE DE LA REVISION
56	0 1 2 3	inconnue très satisfait modérément satisfait mécontent	56 APPRECIATION GLOBALE DU MALADE (1)
57	0 1 2 3 4 5 6 7	inconnue permanente même couché à la marche immédiatement à la marche au bout de 10 mn à la marche au bout de 10 à 20 mn à la marche au bout de 30 mn à 1 H rare - légère - climatique aucune	57 DOULEUR (1)
58	0 1 2 3 4 5 6 7	inconnue impossible impossible sans canne forte claudication en terrain plat marche limitée en terrain plat marche limitée en terrain varié normale performante	58 MARCHE (1)
59	0 1 2	pas de données normal pas de déroulement	59 DEROULEMENT DU PAS (1)
60	0 1 2 3	pas de données normale diminuée de moitié impossible	60 MARCHE SUR LA POINTE DES PIEDS (1)
61	0 1 2 3	pas de données aucune chaussure spéciale semelle spéciale chaussure spéciale	61 PORT DE CHAUSSURES SPECIALES (1)
62	0 1 2 3	pas de données reprise du travail antérieur reprise d'un travail adapté pas de reprise	62 REPRISE DU TRAVAIL (1)
63		JJMMAA Pas de reprise = 000000 Inconnue = 999999	63 DATE DE LA REPRISE
64	0 1 2 3 4	pas de données reprise du sport antérieur reprise d'un autre sport pas de reprise patient non sportif	64 REPRISE D'UNE ACTIVITE SPORTIVE (1)

| 65 | D | G | | en flexion dorsale (en degrés) | }de - 90 à + 90 | 65 MOBILITE TIBIOTARSIENNE |
| 65 | | | | en flexion plantaire (en degrés) | }Inconnu = + 99 | |

65 en flexion dorsale (en degrés) }de - 90 à + 90
65 en flexion plantaire (en degrés) }Inconnu = + 99
65 MOBILITE TIBIOTARSIENNE

66   0 pas de données
1 normale
2 diminuée
3 nulle
66 MOBILITE SOUS ASTRAGALIENNE (1)

67   0 pas de données
1 normale
2 diminuée
3 nulle
67 MOBILITE MEDIOTARSIENNE (1)

68 D G   inversion (en degrés) de - 45 à + 60
68   éversion (en degrés) de - 45 à + 45
Inconnu = + 99
68 COTATION DE L'INVERSION - EVERSION

69   0 pas de données
1 normale
2 diminuée
3 nulle
4 fixes en griffe
69 MOBILITE DES ORTEILS (1)

70   côté de 0 à 5
si pas de données = 9
70 TESTING PERONIERS

71   en mm   Inconnu = 99
71 ELARGISSEMENT DU TALON PAR RAPPORT AU COTE SAIN

72   en mm   Inconnu = 99
72 RACCOURCISSEMENT DU TALON PAR RAPPORT AU COTE SAIN

73   + VALGUS (en degrés)
- VARUS (en degrés)
73 AXE DE L'ARRIERE PIED

74   0 pas de données
1 normale
2 pied plat +
3 pied plat ++
4 pied creux
74 EMPREINTE PLANTAIRE (1)

75   0 pas de données
1 non
2 modérée
3 importante
75 PRESENCE D'UNE DOULEUR TYPE DYSTROPHIQUE (1)

76   0 pas de données
1 pas d'oedème
2 localisé au talon
3 étendu au pied
4 remontant sur jambe
76 OEDEME (1)

77	0	pas de données	77 MODIFICATIONS TEGUMENTAIRES
	1	pas de modification	(n)
	2	cyanose de déclivité	
	3	rougeur permanente	
	4	rougeur + sueur	
78	0	pas de données	78 CONTRACTURE MUSCULAIRE
	1	absente	(1)
	2	modérée	
	3	importante	
79		en mm inconnu = 99	79 AMYOTROPHIE DU MOLLET PAR RAPPORT AU COTE SAIN
80	0	pas de données	80 TROUBLES CICATRICIELS
	1	aspect normal	(n)
	2	cicatrice adhérente	
	3	chéloïde	
	4	cicatrice élargie	
	5	cicatrice ombiliquée	
81	0	pas de données	81 RX OSTEOPOROSE
	1	pas de raréfaction	(1)
	2	raréfaction hétérogène microgéodique	
	3	géodique	
	4	homogène régulière banale	
	5	" aspect peigné	
	6	" aspect vitrifié	
82	0	inconnue	82 RX RECONSTITUTION GLOBALE
	1	parfaite	DE LA FORME
	2	bonne	(1)
	3	mauvaise	
83		en degrés de - 60 à + 60 Inconnu = + 99	83 RX ANGLE DE BOHLER
84	0	inconnu	84 RX SOUS ASTRAGALIENNE
	1	normale	(n)
	2	fusion complète par arthrodèse	
	3	fusion partielle par arthrodèse	
	4	arthrodèse non fusionnée	
	5	arthrose mineure	
	6	arthrose majeure	
85	0	inconnu	85 RX MEDIOTARSIENNE
	1	normale	(n)
	2	arthrose mineure	
	3	arthrose majeure	
	4	ankylose	
86		en degrés de 0 à 60. Inconnu = 99	86 DIVERGENCE ASTRAGALOCAL-CANEENNE
87	0	pas de données	87 SUBLUXATION ASTRAGALO-SCAPHOÏDIENNE
	1	absente	(1)
	2	discrète	
	3	marquée	

BIBLIOGRAPHIE

Avant 1935 (In : PAITRE et BOPPE).

[1] BAER : Beiträge zur Lehreder Fersenbeinbrüche Phys., méd. Monatsch. Berlin, 1905, p. 333. In *Soc. Vaudoise de Médecine,* 9 mars 1906.

[2] BOYER : *Traité des maladies chirurgicales,* t. III.

[3] DESTOT : Fracture du tarse postérieur. *Lyon Méd.,* 1902, p. 505. *Traumatismes du pied et rayons X.* Paris, Masson, édit., 1911.

[4] MALGAIGNE : Mémoire sur la fracture par écrasement du calcanéum. *J. Chir. (Paris),* 1843, p. 2.

[5] MERTENS : Die Frakturen des calcaneus. *Archiv. f. Klin. Chir., Berlin,* 1901, 899-926.

[6] MORESTIN : Deux cas de fractures par écrasement du calcanéum. *Bull. de la Société anatomique,* Paris, 1894, p. 651 et p. 733.

[7] PETIT (J. L.) : Mémoire de l'Académie des Sciences, 1722. *Traité des maladies des os, Paris,* 1758, t. II.

[8] VAN STOCKUM : Traitement sanglant des fractures fermées du calcanéum. XXIVe *Congrès Français de Chir.,* 1911, p. 801.

[9] VOECKLER : Zur Lehre von der Fraktur des Calcaneus. *Deutsch. Ztschr. f. chir., Leipz.,* 1906, p. 175.

[10] WILMOTH et LECŒUR : Le traitement opératoire des fractures sous-thalamiques du calcanéum. *J. Chir. (Paris),* 1929, p. 781.

Depuis 1935.

[11] AITKEN (A. R.) : Fractures of the os calcis. Treatment by closed reduction. *Clin. Orthop.,* 1963, *30,* 67-75.

[12] ALBANESE (A.) : Ricomposizione e continzione latero laterali dei frammenti nelle fratture del calcagno. *Min. Chir.,* 1974, *29,* 60-68.

[13] ALLAN (J. H.) : The open reduction of fractures of the os calcis. *Ann. Surg.,* 1955, *141,* 890-900.

[14] ALLIEU (Y.) : Les fractures du calcanéum, nos indications actuelles et l'ostéo-synthèse par agrafe. *Montpellier Chir.,* 1974, *20,* 59-67.

[15] ALVETTI (P.) et MANZOTTI (G. F.) : Trattemento chirurgico delle fratture talamiche del calcagno. *Min. Ortop.,* 1974, *25,* 84-93.

[16] ANTHONSEN (W.) : An oblique projection for roentgen examination of the talo calcanear joint particulary regarding intra articular fracture of the calcaneus. *Acta Radiol.,* 1943, *24,* 306-310.

[17] ARNER (O.) et UMDHOLM (A.) : Fracture par avulsion du calcanéum. *Acta Chir. Scand.,* 1959, *117,* 258-260.

[18] ARNESEN (A.) : Fracture of the os calcis and its treatment. *Acta Chir. Scand.,* 1958, *Supl. 234,* 2-70.

[19] AUBRIOT (J. H.) : Etude critique de 178 double arthrodèses du pied. Thèse Paris, 1967.

[20] BABIN-CHEVAYE (J.) : Fractures du calcanéum. *Actualités orthop. de l'Hôpital Raymond Poincaré.* Paris, Masson et Cie, Edit., 1966.

[21] BARCAT (J.) et BONAMY (M.) : Fracture ancienne du calcanéum, ostéotomie guérison (Rapport de M. Fèvre). *Mém. Acad. Chir.,* 1948, *74,* 27-30.

[22] BARNARD (L.) : Non operative treatment of fracture of the calcaneus. *J. Bone Joint Surg.,* 1963, *45A,* 865-867.

[23] BARNARD (L.) et ODEGARD (J. K.) : Conservative approach in the treatment of fractures of the calcaneus. *J. Bone Joint Surg.,* 1955, *37A,* 1231-1236. *J. Bone Joint Surg.,* 1970, *52A,* 1689.

[24] BAUER (H.) : Die indikation Zur Früharthrodèse bei Kalkaneus frakturen. *Z. orthop.,* 1975, *113,* 679-680.

[25] BECKER (F.) : Primäre Arthrodèse bei der behandlung von Fersenbeibrüchen. *Z. bl. Chir.,* 1951, *76,* 337-339.

[26] BELENGER (M.) : Aspects cliniques et méthodes thérapeutiques de l'ostéoporose post-traumatique. Xe Congrès Belge de Chirurgie. *Acta Orthop. belg.,* 1956, *supp. 1.*

[27] BELENGER (M.), VAN DER ELST (E.) et LORTHIOIR (J.) : Les fractures du calcanéum. Leur traitement et le traitement des séquelles. *Acta Orthop. Belg.,* 1951, *17,* 57-167.

[28] BENEDETTI (L. R.) et SCARAGLIO (C.) : Résultati a distanza nel frattamento incruento delle fratture talamiche di calcagno. Analisi clinico radiografica e considerazioni medicolegali. *Min. ortop.,* 1973, *24,* 534-537.

[29] BERARDI (G. C.), CHIAPPARA (P.) et LONARDO (P.) : Anatomia funzionale e meccanica articolare del calcagno. *Min. ortop.,* 1974, *25,* 53-59.

[30] BERTELSEN (A.) et MASNER (E.) : Primary results of treatment of fractures of the os calcis by « foot free walking bandage » and early movement. *Acta orthop. Scand.,* 1951, *21,* 140-154.

[31] BIANCHI (M.), GIAMBELLI (R.), MARSAMO (A.) et ZAPPARONI (A.) : Il trattamento chirurgico delle fratture talamiche del calcagno. *Min. ortop.,* 1974, *25,* 60-75.

[32] BIGA (N.) et THOMINE (J. M.) : La fracture luxation du calcanéum. A propos de 4 observations. *Rev. Chir. Orthop.,* 1977, *63,* 191-202.

[33] BLOCK (W.) : Behandlung der Calcaneusfrakturen mit Doppeldrahtextension. *Chirurg.,* 1962, *33,* 548-550.

[34] BOEHLER (L.) : Die technik der Knochenbruchbehandlung. 12-13 Auflage, 2 Band, 2 Teil. W. Maudrich Wien.

[35] BOEHLER (L.) : Neues zur Behandlung der Fersenbeinbrüche. *Langenbecks. Arch. Klin. Chir.,* 1957, *287,* 692-702.

[36] BONI (M.), CECILIANI (L.) et DENARDO (V.) : Trattamento delle fratture talamiche del calcagno mediante trazione transchletrica tripolare. *Min. ortop.,* 1974, *25,* 76-83.

BOPPE (M.) : Voir PAITRE (F.) et BOPPE (M.).

[37] BOUCHERON (M.) : Pied de mine. *Enc. Méd. Chir. (Paris),* 1958, *15725 B,* 10, 1-6.

[38] BOXHO : Les fractures thalamiques récentes du calcanéum. *Acta Orthop. belg.,* 1963, *29,* 734-769.

[39] BRAV (E.) : End results of treatment of fractures of the os calcis. An. Army wide story. *Milit. Med.,* 1965, *130,* 23.

[40] BROCKMÜLLER (U.), HEIMANN (D.) et OTTO (K.) : Ergebnisse bei Fersenbeinbrüchen nach fonktioneller Behandlung und Ruhigstellung im Gips. *Mschr. Unfallheilk,* 1974, *77,* 277-279.

[41] BRODEN : Roentgenexamination of the subtaloïd joint in fractures of the calcaneus. *Acta Radiolog.,* 1949, *31,* 85.

[42] BRODIN (M.) : La revalidation précoce après fracture du calcanéum. *Ann. Kinesith.,* 1976, *3,* 85-87.

[43] BURGHELE (N.) et SCHULLER (K.) : Die Festigkeik des Knochen Kalkaneus und Astragalus. *Z. Orthop.,* 1970, *107,* 447.

[44] BURGHELE (N.) et TROIANESCU (O.) : Contribution au diagnostic radiologique des fractures du calcanéum. *Acta Orthop. Belg.,* 1969, *35,* 920-930.

[45] CABANAC (J.) et BUTEL (J.) : Fractures du calcanéum. *Enc.Méd. Chir.* (Paris), 1969, *14064 A 10.*

[46] CAFFINIERE (J. Y. de la) et SAILLANT (G.) : Technique opératoire dans les fractures articulaires récentes du calcanéum. *Enc. Méd. Chir. (Paris),* *44880,* 1-5.

[47] CAFFINIERE (J. Y. de la) : Technique opératoire dans les cals vicieux du calcanéum. *Enc. Méd. Chir. (Paris),* *44881,* 1-4.

[48] CAFFINIERE (J. Y. de la) et SIGUIER (M.): Cals vicieux du calcanéum. *Actualités orthop. de l'Hôpital Raymond Poincaré.* Paris, Masson et Cie, édit., vol. X, 1972.

[49] CAFFINIERE (J. Y. de la), MAZAS (F.) et SERINGE (R.) : Résultats du traitement fonctionnel dans les fractures articulaires du calcanéum. *Rev. Chir. Orthop.,* 1972, *58,* 217-228.

[50] CALVETTI (P.) et MANZOTTI (G. F.) : Classificazione e reduzione chirurgica delle fratture sotto talamiche del calcagno con infossamento. *Min. ortop.,* 1965, *16,* 564.

[51] CALVETTI (P.) et MANZOTTI (G. F.) : Trattamento chirurgico della fratture talamiche del calcagno. *Min. ortop.,* 1974, *25,* 84-93.

[52] CAROTHERS (R. G.) et LYONS (J. F.) : Early mobilization in treatment of os calcis fractures. *Am. J. Surg.,* 1952, *83,* 279-280.

[53] CAVE (E. F.) : Fractures of the os calcis. The probleme in general. *Clin. orthop.,* 1963, *30,* 64-66.

[54] CHANZY (M.) : Fractures récentes et cals vicieux du calcanéum. Thèse, Paris, 1972.

[55] CHANZY (M.) et coll. : Anatomie radiologique du calcanéum normal. *Arch. Anat. Pathol.,* 1972, *20,* 277-284.

[56] CHANZY (M.) et BENICHOU (J.) : La circulation veineuse du calcanéum. Symposium international sur la circulation osseuse, Toulouse, 1973.

[57] CHIGOT (P. L.) : Fracas calcanéen avec luxation astragalo-scaphoïdienne. *Rev. Chir. Orthop.,* 1948, *32,* 68-71.

[58] COLSON (P.) et HOUOT (R.) : La méthode de Westhues dans le traitement des fractures du calcanéum. *Lyon Chir.,* 1954, *49,* 1001-1005.

[59] COURTY (A.) : Etude sur l'architecture du calcanéum. Conséquences physiologiques, conséquences chirurgicales. A propos du mécanisme, de la classification et de la thérapeutique des fractures de cet os. *Rev. Chir. Orthop.,* 1945, *31,* 10-24.

[60] COURTY (A.) : La greffe osseuse rigide transcalcanéenne. Méthode auxiliaire de traitement de certaines variétés de fractures du calcanéum. *Rev. Chir. Orthop.,* 1946, *32,* 180-188.

[61] CREYSSEL (J.), MOURGUES (G. de), SCHNEPP (J.) et CHAIX (D.) : Les résultats de l'intervention de Stulz dans les fractures thalamiques du calcanéum. *Lyon. Chir.,* 1956, *62,* 282-290.

[62] DABADIE (M.) : Un cas de fracture ancienne du calcanéum traitée chirurgicalement. *Bordeaux Chir.,* 1947, *1,* 28.

[63] DAGHOFER (J.) : Der vordere Fersenbeinbrüche. *Chir. prax.,* 1962, *6,* 67.

[64] DANIS (R.) : *Technique d'ostéosynthèse.* Paris, Masson et Cie, édit., 1932.

[65] DART (D. E.) et GRAHAM (W. D.) : The treatment of fractural calcaneum. *J. trauma.,* 1966, *6,* 326.

[66] DAUTRY (P.) : Sur le traitement des fractures du calcanéum (rapport J. Gosset). *Mém. Acad. Chir.,* 1961, *87,* 249-256.

[67] DEBURGE (A.), NORDIN (J. Y.) et TAUSSIG (G.) : Fractures articulaires du calcanéum. Essais d'indication thérapeutique à partir d'une série de 105 cas. *Rev. Chir. Orthop.,* 1975, *61,* 233-248.

[68] DECOULX (P.), SOULIER (A.) et RAZEMON (J. P.) : Intérêt de la tomographie frontale dans les fractures du calcanéum. *Rev. Chir. Orthop.,* 1955, *41,* 266-267.

[69] DECOULX (P.), DUCLOUX (M.) et JACQUES (G.) : La tomographie frontale dans les fractures du calcanéum. *J. Radiol. Electrol.,* 1956, *37,* 375-379.

[70] DECOULX (P.), RAZEMON (J. P.) et DUCLOUX (M.) : Les fractures du calcanéum à propos de 59 observations. Indications opératoires basées sur la tomographie. *Acta Orthop. Belg.,* 1956, *22,* 484-500.

[71] DECOULX (P.), SOULIER (A.) et DUCLOUX (M.) : Les fractures par arrachement du calcanéum. A propos de 5 observations. *Rev. Chir. Orthop.*, 1962, *48*, 313-323.

[72] DECOULX (J.) : Réduction percutanée sous contrôle d'amplificateur de brillance. *Montpellier Chir.*, 1974, *20*, 49-52.

[73] DECOULX (J.), BOURETZ (J. C.) et CAPRON (J. Ch.) : Le relèvement enclouage à foyer fermé (R.E.F.F.) des fractures enfoncements thalamiques du calcanéum. Réduction percutanée sous contrôle de l'amplificateur de brillance. *Chirurgie 1975*, 101, 887-900.

[74] DEI POLI (N.) et ROSSI (P.) : Le fratture non talamiche del calcagno. *Min. Ortop.*, 1974, *25*, 94-99.

[75] DELAHAYE (R. P.), DOURY (P.), JOLLY (R.), PATTIN (S.), METGES (P. J.) et KLEITZ (C.) : Fractures de fatigue du calcanéum. A propos de 4 observations. Journée médicale Val-de-Grâce - Cochin, nov. 1977. Non publiée.

[76] DELANNOYE (E.), SOULIER (A.) et GUIOT (Y.) : A propos du traitement des fractures du calcanéum avec enfoncement thalamique. *Lille Chir.*, 1954, *9*, 37-42.

[77] DELVOYE (J.) : Traumatisme fermé du pied de mine (rapport de R. Merle d'Aubigné). *Mem. Acad. Chir.*, 1945, *71*, 314-315.

[78] DEMARTY (R.) : Traitement des fractures anciennes vicieusement consolidées du calcanéum (rapport P. Decoulx). *Lille Chir.*, 1956, *2*, 288-295.

[79] DETHLOFF (E.) : Die unblutige Behandlung der Fersenbeinbrüche noch Mommsen. *Beiträge zur Orthop. und Traum.*, 1963, *10*, 3.

[80] DETRIE (Ph.) : Le traitement des fractures thalamiques du calcanéum. *La Presse Méd.*, 1952, *60*, 1095-1096.

[81] DEVAS (M. B.) : Stress fractures. Edinburgh, Churchill Livingstone, edit., 1975, 240 p.

[82] DEWAR (F. P.) et EVANS (D. C.) : Occult fracture subluxation of the midtarsal joint. *J. Bone Joint Surg.*, 1968, *50B*, 386-388.

[83] DEYERLE (W. M.) : Long term follow up of fractures of the os calcis. Diagnostic peroneal Synoviagram. *Orthop. Clin. North Am.*, 1973, *4*, 213-227.

[84] DICK (I. L.) : Primary fusion of the posterior subtalar joint in the treatment of fractures of calcaneum. *J. Bone Joint Surg.*, 1953, *35B*, 375-380.

[85] DOSSA (J.) : Etude des séquelles fonctionnelles des fractures du calcanéum et de leur retentissement socio-professionnel. *Montpellier Chir.*, 1974, *20*, 77-82.

[85 *bis*] DUBOUSSET (J.) : A propos du traitement de certaines fractures du calcanéum. *Rev. Chir. Orthop.*, 1968, *54*, 383-386.

[86] DUPARC (J.) : Conférences d'enseignement SOFCOT 1967. Paris, L'Expansion, éd., 1967.

[87] DUPARC (J.) et CAFFINIÈRE (J. Y. de la) : Mécanisme, anatomopathologie, classification des fractures articulaires du calcanéum. *Ann. Chir.*, 1970, *24*, 289-301.

[88] EHALT (W.) : Unsere deizeitige Behandlung der frischen Fersenbeinbrüche. *Arch. Orthop. Unfallchir.*, 1965, *57*, 133.

[89] EHALT (W.) : Fersenbeinbrüche Gr 10. *Med. Schrift. f. Unfallchir.*, 1967, *70*, 409-416.

[90] EIGENTHALER (L.) : Fersenbeinabrissbrüche der Gruppe 2 nach L. Boehler durch Skiunfälle und ihre Behandlung. *Arch. Orthop. Unfallchir.*, 1965, *57*, 37.

[91] ELMENDORFF (H. V.) : Ueber die Osteosynthèse von Fersenbein und Sprungbeinfrakturen. *Mschr. Unfallh.*, 1969, *72*, 522-532.

[92] ESSEX-LOPRESTI (P.) : The mechanism, reduction, technique and results in fractures of the os calcis. *Brit. J. Surg.*, 1952, *39*, 395-419.

[93] EVANS (D.). Fracture of the calcaneus. Report of proceedings British orthopaedic Travelling Club Killarney. *J. Bone Joint Surg.*, 1968, *50B*, 884.

[94] EVANS (J.) : Conservative management of os calcis fractures. *J. Roy. Coll. Surg. Edinb.*, 1966, *12*, 40.

[95] FARES (G. C.) et PISANI (P. C.) : Criteri di valutazione medicolegale negli eviti delle fratture del calcagno. *Min. ortop.*, 1974, *25*, 100-104.

[96] FAYT (I.) et CAILLIAU (P.) : Le traitement fonctionnel des fractures du calcanéum. *Ann. Chir.*, 1973, *27*, 781-791.

[97] FICAT (P.), ARLET (J.), LARTIGUE (G.), PUJOL (M.) et TRAN (M. A.) : Algodystrophies réflexes post-traumatiques. Etude hémodynamique et anatomo-pathologique. *Rev. Chir. Orthop.*, 1973, *59*, 401-414.

[98] FILIPE (G.) : Que peut-on attendre de la double ar:hrodèse du pied. Thèse Paris, 1974.

[99] FORSTER (R. E.), MOLE (L.) et MULLER (J.) : Etude critique du traitement des fractures du calcanéum. A propos de 98 observations. *Rev. Chir. Orthop.*, 1960, *46*, 348-368.

[100] Forum sur les fractures du calcanéum à l'Hôpital Cochin le 21-4-1969. DUPARC (J.), KEMPF (I.), MAZAS (F.), MONAT (Y.) et MEARY (R.). *Rev. Chir. Orthop.*, 1970, *56*, 89-95.

[101] GALLIE (W. E.) : Subastragalar arthrodesis in fractures of the os calcis. *J. Bone Joint Surg.*, 1943, *25A*, 731-736.

[102] GAMBACORTI-PASERINI (P.) : La triple traction transquelettique dans le traitement des fractures du calcanéum avec déplacement. *Rev. Chir. Orthop.*, 1956, *42*, 880-882.

[103] GELLMANN (M.) : Fractures of the anterior process. *J. Bone Joint Surg.*, 1951, *33A*.

[104] GENET (J. P.) : Contribution à l'étude des fractures du calcanéum. Place de la méthode de Palmer (relèvement greffe) dans leur traitement. A propos de 93 cas dans une série de 175 fractures traitées entre 1955 et 1974. Thèse Paris, 1975.

[105] GERGEN (M.) : Ein Beitrag zur Konservativen Behandlung schwer reponierbarer Fersenbeinbrüche. *Mschr.-Unfallheilkunde*, 1966, *69*, 543-546.

[106] GIANNESTRAS (N. J.) : Foot Disorders Medical and Surgical Management. Philadelphia, Ed. 2, Lea and Fibiger, 1973.

[107] GIANNESTRAS (N. J.) et SAMMARCO (G. J.) : Fractures dislocations in the foot. In *Rockwood and green Fractures*. Vol. II, J. B. Lippincott Co.

[108] GIEBEL (M. G.) : Ursachen, Arten, Behandlung und Ergebnisse bei Fersenbeinfrakturen. *Mschr. Unfall heilkunde*, 1963, *66*, 475.

[109] GIMBERT (E.) : L'enclouage à foyer fermé dans les fractures articulaires du calcanéum. Thèse Lille, 1971.

[110] GISSANE (W.) : A dangerous type of fracture of the foot. *J. Bone Joint Surg.*, 1951, *33B*, 535-538.

[111] GLORION (B.) : Les fractures thalamiques du calcanéum. Thèse Paris, 1962.

[112] GOFF (C. W.) : Fresh fractures of the os calcis. *Arch. Surg.*, 1938, *36*, 744-765.

[113] GOLLASH (W.) : Zur Behandlung des frischen Fersenbeinbrüches. *Arch. f. Klin. Chir.*, 1953, *273*, 792-794.

[114] GOSSET (J.) : Le traitement des fractures du calcanéum avec enfoncement thalamique. *Mem. Acad. Chir.*, 1953, *79*, 350-366.

[115] GOYMANN (V.) : Die Chopart Arthrodèse bei traumatischen Veränderungen im Bereich der Fusswurzel. *Z. Orthop.*, 1975, *113*, 715-717.

[116] GRONERT (H. J.) : Indikation und Technik der Früharthrodèse. *Z. orthop.*, 1973, *111*, 424-425.

[117] HACKSTOCK (H.) et KOLBOW (H.) : Die perkutane Borhdrahtos:eosynthèse der intraartikulären Fersenbeinbrüche. *Arch. Orthop. Unfallchir.*, 1971, *71*, 171.

[118] HALL (M. C.) et PENNAL (G. F.) : Primary subtalar arthrodesis in the treatment of severe fractures of the calcaneum. *J. Bone Joint Surg.*, 1960, *42B*, 336-343.

[119] HARRIS (R. I.) : Fractures of the os calcis : treatment by early subtalar arthrodesis. *Clin. Orthop.*, 1963, *30*, 100-110.

[120] HARTY (M.) : Anatomic consideration in injuries of the calcaneus. *Orthop. Clin. North Am.*, 1973, *4*, 179-183.

[121] HAZELETT (J. W.) : Open reduction of fractures of the calcaneum. *Can. J. Surg. Orthop.*, 1963, *30*, 100-110.

[122] HERAUD (M.) : Note sur les blessures par mine terrestre. (Rapport F. d'Allaines.) *Mem. Acad. Chir.*, 1945, *71*, 312-314.

[123] HERMANN (O. J.) : Conservative therapy for fractures of the os calcis. *J. Bone Joint Surg.*, 1937, *19*, 709-718.

[124] HOHLE (K. D.) et SCHWEIKERT (C. H.) : Die funktionelle Behandlung von Fersenbeinbrüchen. *Chirurg.*, 1968, *39*, 472-474.

[125] HOLZ (U.) : Indikation zur subtalaren Arthrodèse. *Z. Orthop.*, 1975, *113*, 681-684.

[126] HOPSON (C. N.) et PERRY (D. R.) : Stress fractures of the calcaneus in Women Marine Recruts. *Clin. Orthop.*, 1977, *128*, 159-161.

[127] HULLINGER (C. W.) : Insufficiency fractures of the calcaneus similar to march fracture of the metatarsal. *J. Bone Joint Surg.*, 1944, *26*, 751-757.

[128] HUNT (D. D.) : Compression fractures of the anterior articular surface of the calcaneus. *J. Bone Joint Surg.*, 1970, *52A*, 1637-1642.

[129] HUPFAUER (W.) et ELMENDORFF (H. v.) : Die Versorgung frischer und veralteter Fersenbeinbrüche. *Z. Orthop.*, 1975, *113*, 672-676.

[130] ISBISTER (J. F.) : Calcaneofibular abutment following crush fractures of the calcaneus. *J. Bone Joint Surg.*, 1974, *56B*, 274-278.

[131] ISCHERWOOD (I.) : A radiological approach to the subtalar joint. *J. Bone Joint Surg.*, 1961, *43B*, 566-574.

[132] JIMENO-VIDAL (F.) : Isolierte Fraktur des Sustentaculum Tali mit Luxation des Fersenbeinkörpers nach aussen. *Z. Orthop.*, 1960, *93*, 30-46.

[133] JOHNSON (E. W. Jr) et PETERSON (H. A.) : Fractures of the cs calcis. *Arch. Surg.*, 1966, *92*, 848-852.

[134] JOYEUX (R.), DOSSA (J.) et LAPEYRIE (H.) : Le traitement chirurgical des fractures du calcanéum. *Montpellier Chir.*, 1968, *14*, 201-202.

[135] JUDET (J.) et JUDET (R.) : Traitement des fractures du calcanéum avec disjonction astragalo-calcanéenne. *Acta Orthop. belg.*, 1954, *284*.

[136] JUDET (R.), JUDET (J.) et LAGRANGE (J.) : Traitement des fractures du calcanéum comportant une disjonction astragalo-calcanéenne. *Mém. Acad. Chir.*, 1954, *80*, 158-160.

[137] JUDET (R.) : Le traitement chirurgical des fractures du calcanéum et des cals vicieux calcanéens. *Cahiers Méd. Lyonnais*, 1972, *48*, 4265-4268.

[138] JUDET (Th.) : Anatomie et physiologie ostéoarticulaire de l'arrière-pied. Leurs conséquences dans l'étude et le traitement des vices architecturaux du pied. Thèse Paris, 1975.

[139] KAPANDJI (I. A.) : *Physiologie articulaire membre inférieur.* Paris, Maloine, édit., 1965.

[140] KEMPF (I.) : Contribution à l'étude du ligament annulaire externe du cou-de-pied et des gaines ostéofibreuses des tendons péroniers latéraux. Thèse Strasbourg, 1957.

[141] KEMPF (I.), COPIN (G.) et MERLE (P.) : La reconstruction arthrodèse primitive selon Stulz dans le traitement des fractures thalamiques du calcanéum. Bilan et résultats de la méthode. 44ᵉ Réunion annuelle SOFCOT, Livre du Congrès 1969, 389-396.

[142] KEMPF (I.), COPIN (G.) et MERLE (P.) : La reconstruction arthrodèse selon Stulz dans le traitement des fractures thalamiques du calcanéum. *Rev. Chir. Orthop.*, 1970, *56*, 280.

[143] KEMPF (I.) : L'évolution de nos conceptions dans le traitement chirurgical des fractures thalamiques du calcanéum. *Cahiers Méd. Lyonnais*, 1972, *48*, 4252-4258.

[144] KEMPF (I.) : Le traitement chirurgical des fractures du calcanéum. *Montpellier Chir.*, 1974, *20*, 53-57.

[145] KERN (E.) : Zur Problematik der Calcaneusfrakturen. *Heft zur Unfallheik*, 1964, *81*, 197.

[146] KERSTNER (G.) : Zum derzeitingen stand der Fersenbeinbruch behandlung. *Zbl. Chir.*, 1955, *80*, 360-373.

[147] KING (R. E.) : Axial pin fixation of fractures of the os calcis (Method of Essex-Lopresti). *Orthop. Clin. North. Am.*, 1973, *4*, 185-188.

[148] KÖHNLEIN (H. E.) et WELLER (S.) : Die verschiedenen Formen der Fersenbein frakturen und Ihre Behandlung. *Arch. Orthop. Unfallchir.*, 1961, *52*, 614.

[149] KRAMER (J.) et WINTERTHUR : Calcaneus Frakturen. *Zschr. f. Unfallmed. u. Berufskr*, 1971, *1*, 64.

[150] KUHNS (J. G.) : Changes in elastic adipose tissue. *J. Bone Joint Surg.*, 1949, *31A*, 541-547.

[151] LAMBOTTE (A.) : Fractures anciennes du calcanéum par écrasement. *Bull. Acad. Royale Méd. Belgique*, 1949, *14*, 72-75.

[152] LANCE (E. M.), CAREY (E. J.) et WADE (P. A.) : Fracture of the os calcis. Treatment by early mobilization. *Clin. Orthop.*, 1963, *30*, 76-90.

[153] LANCE (E. M.), CAREY (E. J.) et WADE (P. A.) : Fractures of the os calcis : a follow up study. *J. Trauma.*, 1964, *4*, 15-56.

[154] LANGER (G.) : Zur Therapie der Calcaneusfrakturen. *Beitrage Z. Orthop. u. Traum.*, 1967, *3*, 14.

[155] LANYON (L. E.) : Analysis of surface bone strain in the calcaneus of sheep during normal locomotion strain analysis of the calcaneus. *J. Biomechanies*, 1973, *6*, 41-49.

[156] LANZETTA (A.) : Traitement chirurgical des fractures du calcanéum. *Actualités orthop. de l'Hôpital Raymond Poincaré*. Masson et Cⁱᵉ, édit., 1972. Vol. 10.

[157] LANZETTA (A.) et DELL'ORTO (R.) : Fratture del calcagno classificazione e indirizzi di riduzione cruenta. *Min. Ortop.*, 1974, *25*, 105-112.

[158] LANZETTA (A.) : *Le fratture del calcagno.*, Roma Verducci ed., 1975.

[159] LANZETTA (A.) et MEANI (E.) : Utilisation des plaques pour fractures du calcanéum. *La Nlle Presse Méd. Paris*, 1977, *6*, 2895-2896.

[160] LAPEYRIE (M.), RABISCHONG (P.), AVRIL (J.), POUS (J. G.) et PERRUCHON (E.) : L'électropodographie, son intérêt en orthopédie. *Montpellier Chir.*, 1967, *13*, 303-329.

[161] LAROYENNE (L.) et HOUOT : Réduction des fractures du calcanéum par correction du valgus sous-astragalien. *Lyon Chir.*, 1944, *39*, 145-151.

[162] LATASTE (J.) : 71 fractures récentes du calcanéum. Déduction anatomo-pathologiques et thérapeutiques. *La Presse Méd.*, 1959, *67*, 192-195.

[163] LEABHART (J. W.) : Stress fractures of the calcaneus. *J. Bone Joint Surg.*, 1959, *41A*, 1285-1290.

[164] LECESTRE (P.), BENOIT (J.), DABOS (N.) et RAMADIER (J. O.) : Les fractures de fatigue. A propos de 8 cas. *Rev. Chir. Orthop.*, 1977, *63*, 815-824.

[165] LE FLOCH (P.) et HIDDEN (G.) : Les empreintes de l'articulation sousastragalienne. Tentative d'approche physiologique. Communication à la Société d'anatomie, Octobre 1976.

[166] LELIÈVRE (J.) : *Pathologie du pied*. Paris, Masson et Cⁱᵉ, édit., 1967.

[167] LEONARD (M. H.) : Treatment of fracture of the os calcis. *Arch. Surg.*, 1957, *75*, 990-997.

[168] LEQUESNE (M.) : Algodystrophie et diabète sucré. *Rev. Rhum.*, 1970, *37*, 237-244.

[169] LERICHE (R.) : Traitement de l'ostéoporose algique post-traumatique. *La Presse Méd.*, 1941, *49*, 609.

[170] LE THAI, BASSET (J.), COHEN (P.) et RUAULT (Ph.) : Fractures articulaires du calcanéum. *La Presse Méd.*, 1971, *79*, 2134.

[171] LEVINE (J.), KENIN (A.) et SPINNER (M.) : Non union of a fracture of the anterior superior process of the calcaneus. Case report. *J. Bone Joint. Surg.*, 1959, *41A*, 178-180.

[172] LICHTENAUER (F.) et TREPTOW (H. R.) : Zur Behandlung der Fersenbeinbrüche. *Mschr Unfallheik*, 1966, *69*, 261-266.

[173] LIEBESKIND (R.), OTTO (H.) et SCHUBEL (B.) : Formen und Behandlungsergebnisse der Fersenbeinbrüche. *Mschr. Unfallheik*, 1966, *69*, 159-171.

[174] LINDSAY (W. R. N.) et DEWAR (F. P.) : Fractures of the os calcis. *Am. J. Surg.*, 1958, *95*, 555-576.

[175] LOWY (M.) : Avulsion fractures of the calcaneus. *J. Bone Joint Surg.*, 1969, *51B*, 494-497.

[176] Mc Bride (E. D.) : Fractures of the os calcis. Tripod pin traction apparatus. *J. Bone Joint Surg.*, 1944, *26*, 578-579.

[177] Mac Farland (B.) : Industrial Aspect of fractures of the os calcis. *Brit. med. J.*, 1937, *1*, 607-610.

[178] Mc Laughlin : Treatment of late complications after os calcis fractures. *Clin. orthop.*, 1963, *30*, 111-115.

[179] Mc Reynolds (I. S.) : Open reduction and internal fixation of calcaneal fractures. *J. Bone Joint Surg.*, 1972, *54B*, 176-177.

[180] Magnuson (P. B.) et Stinchfield (F.) : Fractures of the os calcis. *Am. J. Surg.*, 1938, *42*, 685-692.

[181] Mandruzzato (F. A.) : Le traitement des fractures du calcanéum. *Rev. Chir. Orthop.*, 1953, *36*, 679-680.

[182] Martini (M.), Tordjmann (G.) et Essafi (Z.) : Le traitement des ostéites chroniques du calcanéum. *Rev. Chir. Orthop.*, 1965, *2*, 177-184.

[183] Martini (M.) et Daoud (A.) : Le traitement des ostéites chroniques du calcanéum par la calcanectomie. *Rev. Chir. Orthop.*, 1971, *57*, 415-419.

[184] Martini (M.), Martini Benkeddache (Y.), Bekhechi (T.) et Daoud (A.) : Traitement of chronic osteomyelitis of the calcaneus by resection of the calcaneus. A report of twenty cases. *J. Bone Joint Surg.*, 1974, *56A*, 542-548.

[185] Matteri (R. E.) et Frimoyer (J. W.) : Fractures of the calcaneus in young children. Report of three cases. *J. Bone Joint Surg.*, 1973, *55A*, 1091-1094.

[186] Maurer (W.) : Zur Behandlung schwerer Fersenbeinbrüche. *Chirurg.*, 1961, *32*, 479-481.

[187] Maxfield (J. E.) et Mc Dermott (F. J.) : Experiences with the Palmer open reduction of fractures of the calcaneus. *J. Bone Joint Surg.*, 1955, *37A*, 99-106.

[188] Maxfield (J. E.) : Treatment of calcaneal fractures by open reduction. *J. Bone Joint Surg.*, 1963, *45A*, 868-871.

[189] Maxfield (J. E.) : Calcis fractures. Treatment by open reduction. *Clin. Orthop.*, 1963, *30*, 91-99.

[190] Mazas (J. F.) : Traitement fonctionnel des fractures articulaires du calcanéum. *Montpellier Chir.*, 1974, *20*, 41-47.

[191] Meary (R.), Roger (A.) et Tomeno (B.) : Arthrodèse du couple de torsion. Techniques chirurgicales Enc. Méd. Chir. Paris T3 orthopédie.

[192] Merle d'Aubigné (R.) : Fracture isolée de la petite apophyse du calcanéum traitée par ostéosynthèse (rapport M. Wilmoth). *Mém. Acad. Chir.*, 1936, *62*, 1155-1159.

[193] Merle d'Aubigné (R.) : Deux cas de fractures du calcanéum traitées par boulonnage après réduction au moyen de 2 broches de Kirschner. *Mém. Acad. Chir.*, 1937, *20*, 789.

[194] Merle d'Aubigné (R.) : *Affections traumatiques.* Coll. Méd. Chir. Paris, Ed. Méd. Flammarion, 1951, 980-992.

[195] Merle d'Aubigné (R.) : *Traumatismes anciens. Rachis. Membres inférieurs.* Paris, Masson et Cie, édit., 1959, 463-472.

[196] Mitchell (G. P.) : Posterior displacement osteotomy of the calcaneus. *J. Bone Joint Surg.*, 1977, *59B*, 233-235.

[197] Mittelbach (H.) et Buschmann (A.) : Zur Frage der Früharthrodese in der Behandlung von Fersenbeinbrüchen. *Chirurg.*, 1967, *38*, 468-471.

[198] Monballiu (G.) : A propos des fractures du calcanéum avec disjonction astragalo-calcanéenne. *Acta Orthop. Belg.*, 1963, *29*, 718.

[199] Monet (J. L.), Apoil (A.), Vinceneux (J. F.) et Labouret (J.) : Fractures du calcanéum. Résultats du traitement par la méthode fonctionnelle de 1961 à 1973. *Ann. Chir.*, 1976, *30*, 579-582.

[200] Morel-Fatio (D.) : Un procédé pour la réduction sous écran des fractures thalamiques du calcanéum. *La Presse Méd.*, 1948, *31*, 375-376.

[201] Mourgues (G. de), Mourgues (A. de) et Comtet (J. J.) : Traitement des fractures du calcanéum. Place de la reconstruction arthrodèse. *Rev. Chir. Orthop.*, 1960, *46*, 710-720.

[202] MOUSSAOUI (R.) : Résultats du traitement fonctionnel à propos de 85 cas de fractures thalamiques récentes du calcanéum. Thèse Lille, 1976.

[203] MUZZULINI (B.) : Behandlung der Fersenbeifrakturen mit den Wendt Gipsverband. Z. orthop., 1975, 113, 676.

[204] NADE (S.) et MONAHAN (P. R. W.) : Fractures of the calcaneum. A study of the long term prognosis. J. Bone Joint Surg., 1972, 54B, 177. Injury, 1973, 4, 200-207.

[205] NOBILLOT (A.) : Fractures de marche du calcanéum. Sem. Hôp. Paris, 1960, 51, 2777.

[206] NOSNY (P.) : 9 observations d'homogreffe du calcanéum pour fracture comminutive fermée par explosion de mine. J. Chir. (Paris), 1954, 70, 572-589.

[207] NOSNY (P.), BOURREL (P.) et CARON (J. J.) : Mobilisation précoce après réduction et contention par broches des fractures du tarse postérieur. Mém. Acad. Chir., 1969, 95, 365-370.

[208] OLOVSON (R.) : Uebercalkaneusfrakturen. Acta Orthop. Scand., 1940, II, 199-234.

[209] ONDROUCH (A.) : Ein Versuch zum Erzatz des Fersenbeins durch Allo und Homoplastik. Beiträge zur Orthop. U. Traum, 1960, 10, 268.

[210] PAITRE (F.) et BOPPE (M.) : Les fractures du calcanéum. Rapport au 44e Congrès Français de Chirurgie, Paris, 1935.

[211] PALMER (P.) : The Mechanism and Treatment of fractures of the calcaneum, open reduction with the use of cancellous grafts. J. Bone Joint Surg., 1948, 30A, 2-8.

[212] PARKES (J. C.) : Non reductive treatment for fractures of the os calcis. Orthop. Clin. North Am., 1973, 4, 193-195.

[213] PENNAL (G. F.) et YADAV (M. P.) : Operative treatment of comminuted fractures of the os calcis. Orthop. Clin. North Am., 1973, 4, 197-211.

[214] PETER (R.), MOLE (L.), MULLER (J.) et FORSTER (E.) : L'exploration radiologique dans les fractures du calcanéum. Incidences et tomographies dans les 3 dimensions. J. Radiol. Electrol., 1962, 43, 914-920.

[215] PIZON (P.) : Traumatismes de la grande apophyse du calcanéum. La Presse Méd., 1962, 70, 2134-2136.

[216] PLAUE (R.), OELLERS (B.) et SALDITT (G.) : Expérimentelle Untersuchungen über das frakturvehalten menschlicher Fersenbeine unter vertikalem Druck. Arch. Orthop. Unfall Chir., 1977, 88, 19-25.

[217] PRIDIE (K. H.) : A new method of treatment for severe fractures of the os calcis. A preliminary report. Surg. Gynec. and Obst., 1946, 82, 671-675.

[218] PROTHEROE (K.) : Avulsion fractures of the calcaneus. J. Bone Joint Surg., 1969, 51B, 118-122.

[219] RABISCHONG (P.), DOSSA (J.) et KONIRSCH (G.) : Etude biomécanique et électro-podographiques des arthrodèses sous-astragaliennes après fractures du calcanéum. Montpellier Chir., 1967, 13, 331-353.

[220] RAISMAN (V.) : Spontaneous fractures of the calcaneus. Am. J. Surg., 1944, 65, 290-292.

[221] RAY (A.) et FIRICA (A.) : Traitement des fractures du calcanéum (A propos de 174 cas). Rev. Chir. Orthop., 1970, 56, 23-28.

[222] RAY (A.) : Déductions thérapeutiques et considérations sur l'intérêt de l'appui précoce dans les fractures du calcanéum. Cahiers Méd. Lyonnais, 1972, 48, 4246-4253.

[223] RESNICK (D.) et GOERGEN (Th. G.) : Peroneal tenography in previous calcaneal fractures. Radiology, 1975, 115, 211-218.

[224] RIGAULT (P.), PADOVANI (J. P.) et KLISZOWSKI (H.) : Les fractures du calcanéum chez l'enfant (A propos de 26 cas). Ann. Chir. Infantile, 1973, 14, 115-134.

[225] ROBERTS (N. W.) et CREER (N. S.) : New notes of Annual meeting of British Orthopaedic Association. Lancet, 1947, 65.

[226] RONCALLI (L.), BENEDETTI (E.) et SCARAGLIO : Risultati a distanza nel trattamento incruento delle fratture talamiche di calcagno. (Analisi clinico radiografica e considerazioni medicolegali). Min. Ortop., 1973, 12, 534-537.

[227] ROSENDAHL et JENSEN (S.) : Fractura calcanei prognosis of an Insurance material. *Acta Chir. Scand.*, 1956, *112*, 69.

[228] ROUSSEL (J. M.) : Fractures du calcanéum. Thèse Paris, 1958.

[229] ROWE (C. R.), SAKELLARIDES (H. T.), FREEMAN (P. A.) et SORBIE (C.) : Fractures of the os calcis. A long term follow up study of 146 patients. *J.A.M.A.*, 1963, *184*, 920-923.

[230] RÜCKERT (K. F.) et BRINCKMANN (E. R.) : Ermüdungsbrüche der Fersenbeine bei Soldaten des Bundeswehr. *Münch. Med. Wschr.*, 1975, *117*, 681-684.

[231] SAMSOEN (M.) : Contribution à l'étude des fractures du calcanéum. Thèse Paris, 1959.

[232] SCHIANA (A.), EISINGER (J.) et ACQUAVIVA (P. C.) : *Les algodystrophies.* Paris, Labo Armour Montagu.

[233] SCHMID (Th.) : Die Talokalkaneare Arthrodèse Nach Kalkaneus fraktur. *Z. Orthop.*, 1975, *113*, 684-686.

[234] SCHNEPP (J.) : Les fractures du calcanéum. *Cahiers Méd. Lyonnais*, 1964, *40*, 1595-1602.

[235] SCHÖNBAUER (H. R.) : Teilresection und totale extirpation von Fersenbein. *Wien med. Wschr.*, 1960, *72*, 69.

[236] SCHÖNBAUER (H. R.) et VALENTIN (P.) : Traitement des fractures thalamiques du calcanéum. Technique de réduction utilisée au Centre de Traumatologie de Vienne I. *Rev. Chir. Orthop.*, 1960, *46*, 384-388.

[237] SCHOTTSTAEDT (E. R.) : Symposium Treatment of fractures of the os calcis. *J. Bone Joint Surg.*, 1963, *45A*, 863-864.

[238] SCHULITZ (K. P.) et WINKELMANN (W.) : Die Fersenbein osteomyelitis. *Arch. Orthop. Unfall. Chir.*, 1977, *87*, 333-342.

[239] SERFLING (H. J.) et BRÜCKNER (R.) : Zur Behandlung der Calcaneus frakturen. *Zbl. Chir.*, 1966, *91*, 1969-1974.

[240] SIGUIER (M.), CAFFINIÈRE (J. Y. de la) et BRUNET (J. C.) : Fractures thalamiques fraîches du calcanéum. *Actualités orthop. de l'Hôpital Raymond-Poincaré*, vol. 10. Paris, Masson et Cie, édit., 1972.

[241] SIGUIER (M.) : Traitement des cals vicieux du calcanéum. *Montpellier Chir.*, 1974, *20*, 69-76.

[242] SŒUR (R.) : Les fractures du calcanéum avec déplacement du thalamus. *Chirurgie (Paris)*, 1972, *12*, 701-707.

[243] SŒUR (R.) et REMY (R.) : Fractures of the calcaneus with displacement of the thalamic portion. *J. Bone Joint Surg.*, 1975, *57B*, 413-421.

[244] SPRANGER (M.) et RABENSEIFNER (L.) : Spätzustände nach Kalkaneusfrakturen. *Z. Orthop.*, 1975, *113*, 686-688.

[245] STEIN (R. E.) et STELLING (F. H.) : Stress fractures of the calcaneus in a child with cerebral palsy. *J. Bone Joint Surg.*, 1977, *59A*, 131.

[246] STULZ (E.) : Traitement sanglant des fractures par enfoncement du calcanéum. 44e Congrès Français de Chir. Paris, 1935, Livre du Congrès 685-694.

[247] STULZ (E.) : Du traitement chirurgical des fractures par enfoncement du calcanéum. *Lyon Chir.*, 1956, *52*, 388-393.

[248] STULZ (E.), FOLSCHVEILER (J.) et KEMPF (I.) : Traitement des fractures du calcanéum. *Rev. Chir. Orthop.*, 1960, *46*, 342-347.

[249] STULZ (E.), FOLSCHVEILER (J.), NAETT (R.) et KEMPF (I.) : Traitement des fractures thalamiques du calcanéum par la reconstruction arthrodèse. Principe, technique. Indications et résultats. *Lyon Chir.*, 1962, *58*, 635-640.

[250] SUDECK (P.) : Ueber die akute entzundliche Knochen atrophie. *Arch. F. Klin. Chir.*, 1900, *60*, 147.

[251] SUIRE (P.), LAFITTE (M.) et GATTI : Traitement opératoire des fractures thalamiques du calcanéum. *Lyon Chir.*, 1961, *57*, 778-784.

[252] THOMAS (H. M.) : Calcaneal fractures in childhood. *Brit. J. Surg.*, 1969, *56*, 644-666.

[253] THOMPSON (K. R.) et FRIESEN (C. M.) : Treatment of comminuted fractures of the calcaneus by primary triple arthrodesis. *J. Bone Joint Surg.*, 1959, *41A*, 1423-1436.

[254] THOMPSON (K. R.) : Treatment of comminuted fractures of the calcaneus by triple arthrodesis. *Orthop. Clin. North Am.*, 1973, *4*, 189-191.

[255] THOREN (O.) : Os calcis fractures. *Acta Orthop. Scand.*, 1964, *Suppl. 70*, 5-114.

[256] TOUZARD (R. C.) et KUDELA (I.) : Les polyfracturés des membres inférieurs (à propos de 50 blessés). *J. Chir. (Paris)*, 1975, *109*, 477-485.

[257] TRICKEY (E. L.) : Treatment of fractures of the calcaneus. *J. Bone Joint Surg.*, 1975, *57B*, 411.

[258] TROJAN (E.) : Arthrodesen nach Fersenbeinbrüchen. *Chir. Prax.*, 1961, *1*, 61.

[259] VASEY (H.) : Les suites tardives de la fracture du calcanéum. *Schweiz. Med. Wschr.*, 1967, *97*, 793-794.

[260] VESTAD (E.) : Fractures of the calcaneus open reduction and bone grafting. *Acta Chir. Scand.*, 1968, *134*, 617-625.

[261] VIDAL (J.), RAUX (A.), BOISSE (J. L.) et MAIRE (P.) : La place de l'ostéosynthèse dans le traitement des fractures du calcanéum. *Montpellier Chir.*, 1968, *14*, 137-154.

[262] VIDAL (J.) : Conclusions du forum sur les fractures du calcanéum. *Montpellier Chir.*, 1974, *20*, 83-84.

VIDAL-JIMENO : voir JIMENO-VIDAL.

[263] WARRICK (C. K.) et BREMNER (A. E.) : Fractures of the calcaneum with an atlas illustrating the various types of fractures. *J. Bone Joint Surg.*, 1953, *35B*, 33-45.

[264] WATSON-JONES (R.) : *Fractures and joint injuries*, 4th Ed. Edinburgh, Livingstone ed., 1955.

[265] WENDT (H.) : Extrême muskelentspannung in der Behandlung von Fersenbeinbrüchen. *Zbl. Chir.*, 1953, *78*, 153.

[266] WESTHUES (H.) : Ein neue Behandlung des Fersenbeinbrüche. *Zbl. Chir.*, 1935, *17*, 995-1002.

[267] WESTHUES (H.) : Ueber Fersenbeinbrüche. *Zbl. Chir.*, 1942, *67*, 714-722.

[268] WHITTAKER (A. H.) : Treatment of fractures of the os calcis open reduction and internalfixation. *Am. J. Surg.*, 1947, *74*, 687-696.

[269] WIDEN (A.) : Fractures of the calcaneus. A clinical study with special reference to the technique and results of open reduction. *Acta Chir. Scand.*, 1954, *Suppl. 88*, 1-119.

[270] WILHELM (K.) : Experimentelle Rissfrakturen der Sehnenansatzone am Calcaneus. *Arch. Orthop. Unfallchir.*, 1977, *90*, 285-288.

[271] WILSON (E. S.) et KATZ (F. N.) : Stress fractures. *Radiology*, 1969, *92*, 481-486.

[272] WILSON (G. E.) : Fractures of the calcaneus. *J. Bone Joint Surg.*, 1950, *32A*, 59-70.

[273] WILTSE (L. H.), BATEMAN (J. G.) et CASE : Resection of major portion of the calcaneus. *Clin. Orthop.*, 1959, *13*, 271-278.

[274] WINFIELD (A. C.) et DENNIS (J. M.) : Stress fractures of the calcaneus. *Radiology*, 1959, *72*, 415-418.

[275] WIRTH (C. J.) : Problematik der Diagnostik und Therapie der Kalkaneusforsatzbrüche. *Z. orthop.*, 1975, *113*, 678-679.

[276] WONDRAK (E.) : Ueber eine seltene Luxationfraktur des Fersenbeins. *Mschr. Unfallheilk.*, 1970, *73*, 532.

[277] ZAGRA (A.) et BELLISTRI (D.) : Artrodesi sotto astragalica immediata nelle fratture talamiche del calcagno. *Min. ortop.*, 1970, *21*, 574-577.

[278] ZAYER (M.) : Fractures of the calcaneus. A review of 110 fractures. *Acta orthop. scand.*, 1969, *40*, 530-542.

[279] ZEISS (Ch. R.) : Treatment of communited fractures of os calcis. *J.A.M.A.*, 1959, *169*, 792-794.

MASSON, Editeurs,
120, Bd St-Germain, Paris (VI°).
Dépôt légal : 2° trim. 1978.

Imprimé
en France.

SOULISSE et CASSEGRAIN,
Imprimeurs, Niort.
Dépôt légal : 2° trim. 1978.
N° 1632.